IWATA Yousuke
イワタヨウスケ 著

●注意

はじめに

2022年11月、OpenAI社が発表したAIチャットサービス「ChatGPT」は、またたく間に全世界に広まり多くの人に受け入れられました。日本でも一部の有識者にはじまり、今や一般企業や教育機関、政府、個人にいたるまで、ChatGPTの活用法を模索しています。本書はそんなChatGPTについて基本的な概念や機能、周辺知識などをまとめるとともに、多くの方がビジネスシーンで活用できるようなChatGPTの使い方を提案する入門書です。

ChatGPTはAIチャットサービスであると同時に、「生成系（ジェネラティブ）AI」と呼ばれるAIの一種でもあります。生成系AIとは、文章はもちろん画像・動画・音楽など、これまで人間が主におこなってきたさまざまな創造的活動を代替・補佐できる能力を持つAIです。ChatGPTは生成系AIの中でも文章生成に特化したAIです。

人間が書いた文章と見分けがつかないような非常に高度な文章生成能力を持つChatGPTですが、情報の機密性や著作権侵害、回答の正確さなど、多くの課題も残されています。ChatGPTが登場した当初、まるで「万能のAI」であるかのような評価も散見されました。私もそのような評価を見て、大きな期待とともにChatGPTに触れた1人です。私はいま仕事の一部にChatGPTを取り入れています。個人的には非常に友好的に受け入れてはいますが、喧伝されているほどの万能さはあるだろうかと首をひねる部分もあります。

本書を執筆する際も、できるかぎり中立な立場を取るように意識しました。AIが大きな熱を持って迎え入れられている今だからこそ、一度足を止め、ネガティブな面にも目を向けるきっかけとなれば幸いです。

2023年6月

図解ポケット
ChatGPTがよくわかる本

CONTENTS

CHAPTER 3 ChatGPTの基本機能

CHAPTER 4 ChatGPTの使い方と応用

CHAPTER 5 ChatGPTの活用事例

CHAPTER 6 プラグインの利用法

MEMO

ChatGPT とは？

2022年11月にOpenAI社からリリースされたテキスト生成AI「ChatGPT」。またたく間に世界中を巻き込む一大ブームとなったChatGPTとはいったいどのような存在なのか、まずはその概要を見てみましょう。

AIの歴史

ChatGPTは「生成系AI」。では「AI」とはそもそもどのような存在なのでしょうか？

1 「AI」という言葉の生みの親

2022年11月に**OpenAI社**が**ChatGPT**をリリースして以来、「**AI（人工知能）**」という言葉がとても大きなブームになっています。「AI（Artificial Intelligence）」という言葉自体は1956年に開かれた**ダートマス会議**で、アメリカの研究者である**ジョン・マッカーシー**氏により初めて使われました。

2 AIの進化の歴史

AIの発展は1950年代から現在まで数十年にわたり、多くの変遷を経験しました。初期は**記号推論**（事前に問題解決のルールをプログラムする）に焦点が当てられましたが、現実の問題解決には限界があり、いわゆる「**AIの冬**」が訪れます。

1980年代のエキスパートシステム（特定分野の専門家の思考をシミュレートする）は一部の領域で成功しましたが、人間なら経験で身に着けられる暗黙知を表現できないなどの問題があり、やはり研究は下火に。

1990年代から2000年代にかけての機械学習が発展すると、AI研究に革新がもたらされます。特に**ディープラーニング**のブームは大きな影響を与え、ChatGPTのような複雑なデータを理解し生成するAIへとつながりました。

FIGURE 1 AIの年表

1950年代	1950年:アラン・チューリングが「チューリングテスト」を提唱。 1956年:ダートマス会議で「人工知能」の概念が誕生(AIという言葉初めて使われた。)	
1960年代	一部の大学と研究機関でAI研究が進み、最初の人工知能プログラムが開発される。	AI冬の時代
1970年代	フレーム問題や知識表現問題など、人工知能の限界と課題が明らかになる。これは"AIの冬"の始まりと見なされる。	AI冬の時代
1980年代	専門家システムの台頭。ビジネスや医療などの分野で活用され始める。	
1990年代	機械学習の進歩。アルゴリズムの発展とコンピュータの計算能力の向上により、人工知能は新たなステージに進む。 IBMのDeep Blueがチェスの世界チャンピオンであるガリー・カスパロフを破る。	
2000年代		AI停滞期
2010年代	深層学習が画像認識コンテストで大成功を収め、人工知能研究の新たな波を引き起こす。 Google DeepMindのAlphaGoが囲碁の世界チャンピオン、李世石を破る。	
2020年代	2020年:GPT-3が登場し、自然言語生成における進歩を示す。	

生成系 AI とは？

文章、画像、動画、音楽…、私たちの身の回りには、さまざまな創作物を生み出す能力があるAIを「生成系AI」と呼びます。

1 生成系 AI の特性と進化

生成系 AI (Generative AI) は、テキスト、画像、音楽、動画など、人間が創造的な作業をおこなう際に使うような、新たなアイデアや内容を生成する能力を持つ AI の一種です。

初期の生成系 AI は、主にテンプレートベースの手法や、ある程度のランダム性を持つ単純なアルゴリズムを使用していました。しかし、近年の AI の発展、特にディープラーニングの進歩により、生成系 AI も大きく進化しています。

現代の生成系 AI は、大量のデータからパターンを学習し、そのパターンをもとに新しいコンテンツを生成します。これは人間が経験から学習し、新しいアイデアを考え出すプロセスに似ています。

このような学習能力を持つ生成系 AI は、よりリアルで、より創造的な結果を生み出すことが可能となりました。

2 生成系 AI の課題と未来への影響

一方で、生成系 AI はまだ多くの課題を抱えています。特に、AI が生成するコンテンツの品質や倫理性、著作権といった問題があげられます。また、AI がなにを学習し、どのように生成をおこなうかをコントロールすることは、依然として大きな課題です。

実際日本でも、イラストレーターの絵柄を学習させた画像生成 AI を用いて、まったく無関係の第三者がイラストを販売し利益を得る…といった事件も発生しています。

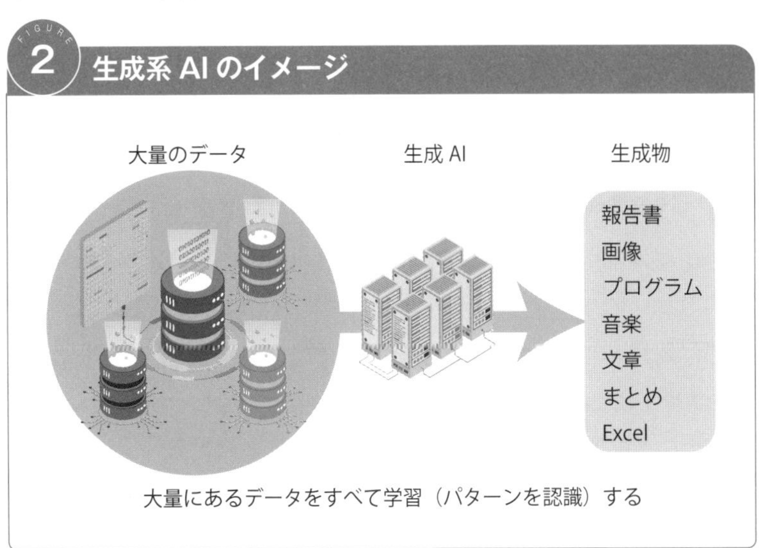

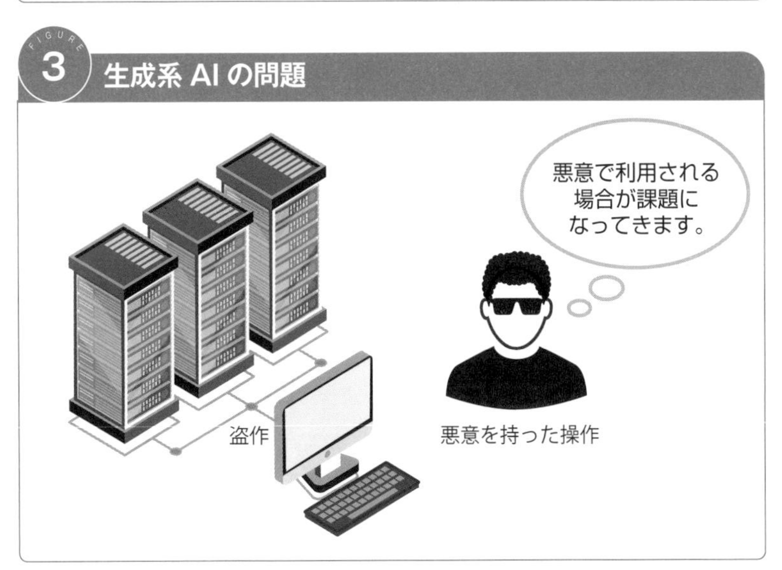

ChatGPTとはなにか

ChatGPTはそれ単体で成立しているわけではなく、GPTシリーズと呼ばれる言語モデルと私たちが操作するUI(ユーザーインターフェース)の組み合わせで構成されています。

1 ChatGPTはOpenAI社の「AIチャット」

ChatGPTは、OpenAI社が開発した「**GPT**＊」**シリーズ**の言語モデルと、UIの組み合わせからなるAIチャットサービスです。ユーザーは普段、私たちが使っている「言葉(自然言語)」を使って、ChatGPTに質問したり、任意の作業を指示したりといった「対話」をすることができます。ChatGPTに指示する言葉を「**プロンプト**」と呼びます。対話を通じて私たちが抱える課題に解決のヒントを与えてくれるといった点で、ChatGPTは人間の知的生産活動をさらに先に推し進めてくれる「人間の拡張機能」ということもできるかもしれませんね。

2 ChatGPTの利用とその可能性

ChatGPTは、その対話能力により、さまざまな領域での利用が可能です。「カスタマーサポート」「教育」「エンターテイメント」「創作支援」など、多くの分野でその効果が期待されています。一方で、その応答の質や倫理的な問題、利用の制限など、多くの課題も存在します。ChatGPTの進化とともに対応できる作業の幅は広がりますが、同時に生まれる課題についても理解を深めていくことが、ChatGPTをよりよく利用するために重要です。

＊ **GPT**　Generative Pre-trained Transformerの頭文字。

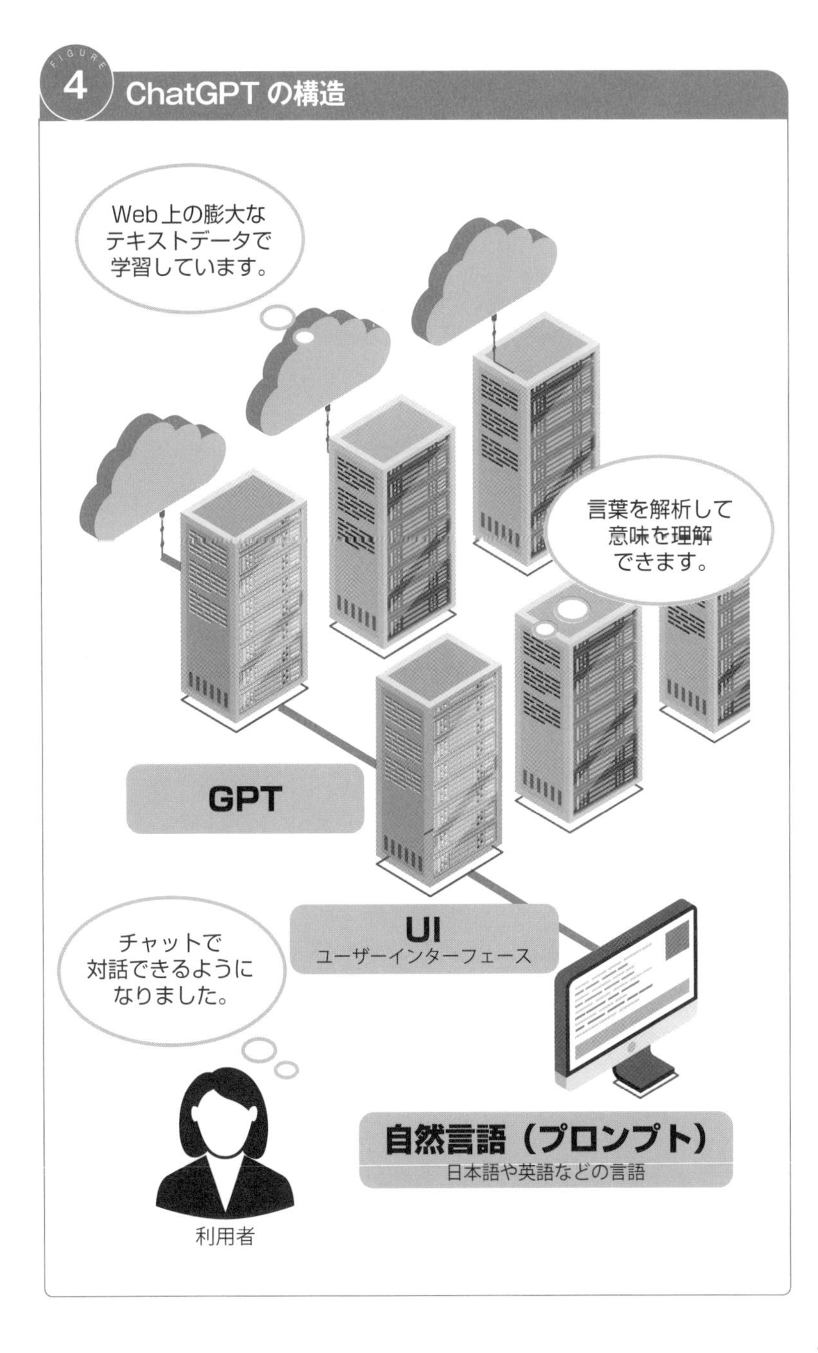
FIGURE 4 ChatGPTの構造
Web上の膨大なテキストデータで学習しています。
言葉を解析して意味を理解できます。
GPT
UI
ユーザーインターフェース
チャットで対話できるようになりました。
自然言語（プロンプト）
日本語や英語などの言語
利用者

OpenAI と Microsoft の関係

ChatGPTを開発したOpenAIは、Microsoftと密接なかかわりを持っています。

1 パートナーシップの結成

OpenAI と **Microsoft** の間には深い関係があります。設立当初は非営利団体として発足したOpenAI。**イーロン・マスク**をはじめとする有志からの寄付などを資金源として研究・開発を続けていましたが、しだいに資金難に陥ります。

OpenAI は資金調達のため2019年に営利法人を立ち上げ。同年中にMicrosoft から最初の投資が申し入れられたのが、2社のパートナーシップの始まりです。

2023年1月、両社は長期的なパートナーシップの第三段階として、AI の革新を加速させ、その恩恵を広く世界と共有するために、複数年にわたる多額の投資を発表しました。

2 Microsoft 製品に GPT シリーズを導入

Microsoft は、OpenAI の研究を加速させるための投資を増やすことを予定しています。また、Microsoft は自社製品であるMicrosoft 365に GPT シリーズを導入し、すべてのユーザーが AI アシスタントを利用できるようにすると発表しました。

すでに同社の Web 検索エンジンである **Bing** に GPT-4が導入されいます。また Web ブラウザである Microsoft Edge では、サイドバーに「BingAI 機能」や、AI による「テキスト執筆アシスタント機能」が搭載されました。Microsoft と OpenAI のタッグにより、AI アシスタントを使って PC 作業をするのが普通になる日が近づいているかもしれません。

FIGURE 5 OpenAI と Microsoft の関係

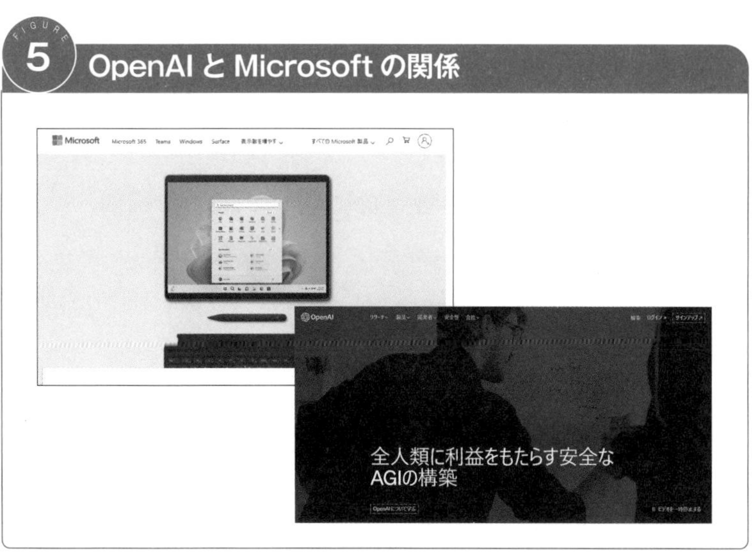

FIGURE 6 ChatGPT が使える Bing の画面

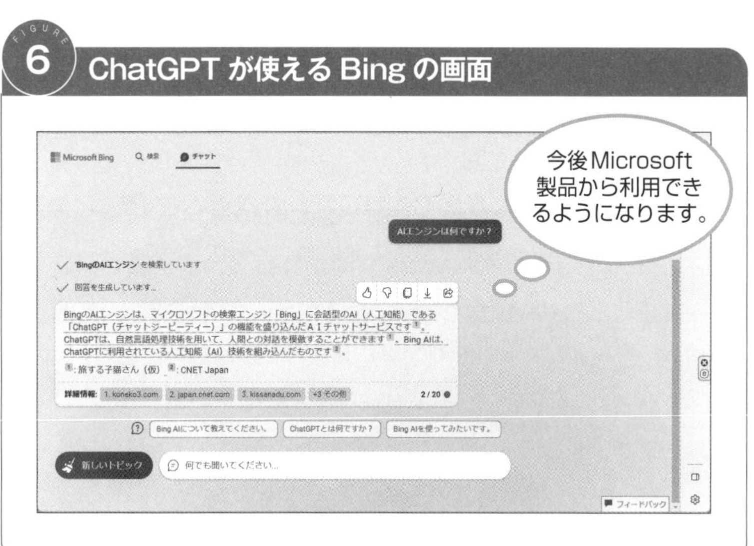

Microsoftが自社製品にChatGPTを導入

Microsoftは自社製品であるMicrosoft 365にOpenAIのGPTシリーズを導入することを発表した。また、一部のユーザーへのアーリーアクセスも始まりました。

1 Microsoft 365の新機能とChatGPTの役割

Microsoftは、AI技術を活用してMicrosoft 365の製品群に新たな機能を追加する計画を発表しました。これにはOutlook、PowerPoint、Excel、Wordといった一連の製品が含まれています。Microsoftが「**AIコパイロット（copilot）**」と呼ぶこれらの新機能により、ユーザーは文書の編集、要約、作成、比較といった日常的なPC業務を、AIアシスタント付きで実行できるようになります。

具体的な使用例としては、Skype会議での議事録作り、長いメールスレッドの要約と返信の下書き作成、Excelで特定のグラフの作成、Wordドキュメントを短時間でPowerPointのプレゼンテーションに変換するなどがあげられます。

2 Microsoft 365とChatGPTの統合への課題と展望

Microsoftはまた、「Business Chat」と呼ばれる新しい概念も導入します。これはMicrosoft 365のデータを理解し、意味を見つけ出すエージェントの役割を果たします。Business Chatはユーザーのメール内容、その日の予定、取り組んでいるドキュメント、作成中のプレゼンテーション、会議の予定者、Teamsプラットフォームでのチャットなどを理解し、それらにもとづいてタスクをおこなうことができます。

しかし、Business Chat はまだまだ開発段階。AI に任せきりにせず、利用者が情報をダブルチェックする必要があるのは Chat GPT と変わりません。

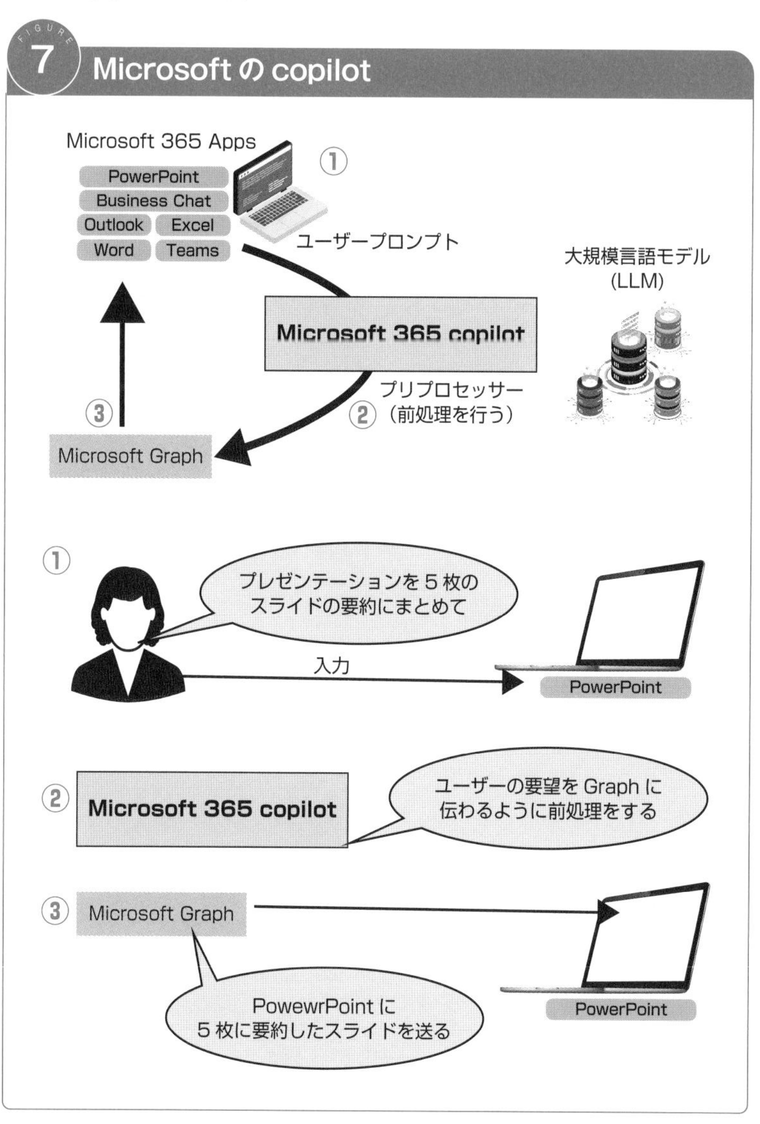

ChatGPTの先祖はGoogleの「Transformer」

ChatGPTはOpenAI社が開発しましたが、実はその基盤となるシステムはGoogleの研究者が発表した「Transformer」と呼ばれるモデルにあります。

1 Transformerの基礎

Transformer（トランスフォーマー）は、2017年に**Google**の研究者らが発表した"Attention is All You Need"という論文で初めて公開されました。その名のとおり、Transformerは"attention"という概念にもとづいています。これは「**自然言語処理**（**NLP**）のタスクにおいて、モデルが特定の情報に『注目』する能力を持つ」という意味です。Transformerは文中の各単語が他の単語とどの程度関連しているかを学習し、その結果を用いて文の意味を理解します。

2 ChatGPTとTransformer

ChatGPTは、Transformerの基盤を利用しつつ、さらに進化した形のAIツールです。OpenAI社はGPT-2とGPT-3を開発する過程で、Transformerをベースに大規模な訓練データセットを用いてモデルを訓練しました。その結果、ChatGPTは人間と同レベルの自然な対話能力を手に入れました。

また、ChatGPTはモデルの進化とともに、その活用方法も多様化しています。例えば、カスタマーサポート、コンテンツ作成、教育、娯楽など、さまざまな分野でChatGPTの応用が見られます。

FIGURE 8 Transformer を分かりやすく解説する nVIDIA の Web

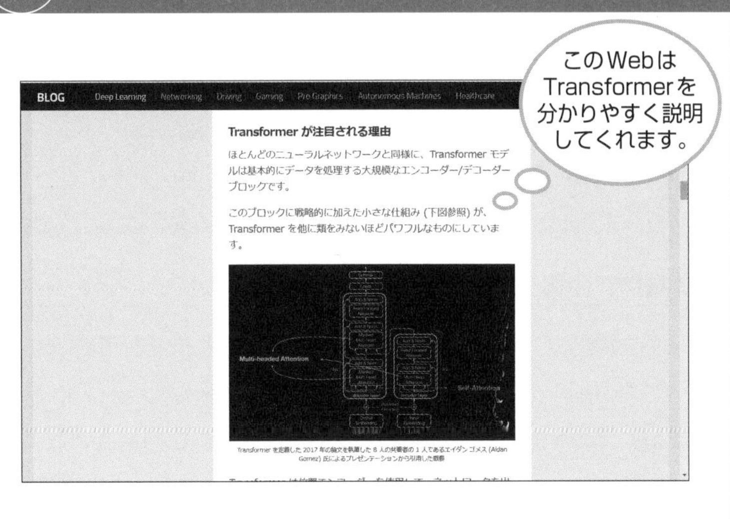

FIGURE 9 能力の進化と拡大

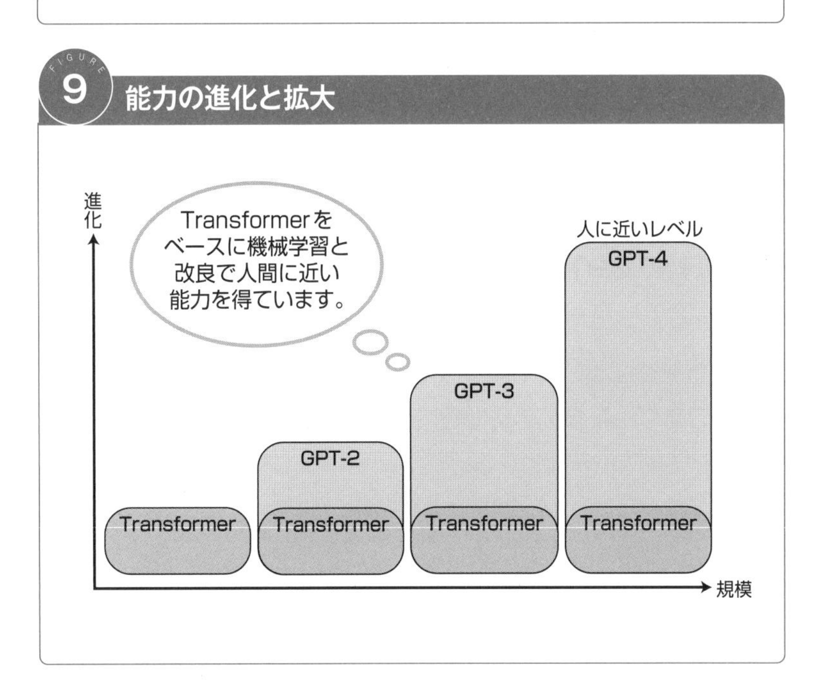

GPT-3、3.5、4、さらにその先へ？

OpenAIはChatGPTをリリースしたあとも、継続して自社のAIモデルGPTをアップデートしています。

1 GPTの進化の軌跡

GPTは、最初のリリースから現在までに大きく進化してきました。GPT-1から始まり、GPT-2、GPT-3、そしてGPT-3.5 Turboまで、その都度、モデルの能力とスケールが大幅に拡張されてきました。

そして2023年3月、OpenAIは最新モデルである**GPT-4**をリリースしました。GPT-4は、テキスト入力に加えて画像入力も受け付ける大規模な**マルチモーダル**モデルで、多くの現実世界のシナリオでは人間よりも能力が劣るものの、さまざまなプロフェッショナルや学術的なベンチマークでは人間レベルのパフォーマンスを示しています。

2 最新のGPTとその先への期待

OpenAIは、GPT-3.5 Turboのリリース以降も研究を続け、さらなる進化を遂げることを期待しています。GPT-4のリリースは、その一例であり、AI技術の可能性について新たな展開を示しています。

未来のGPTモデルは、現在のGPT-4の成果をさらにすすめ、人間とのインタラクションや自然言語理解、知識抽出の能力をさらに高めることが期待されています。以上の情報から、GPTの進化はOpenAIの研究と開発の成果であり、GPTの各バージョンは人工知能の可能性を示す重要なマイルストーンだといえるでしょう。

FIGURE 10 GPTの進化

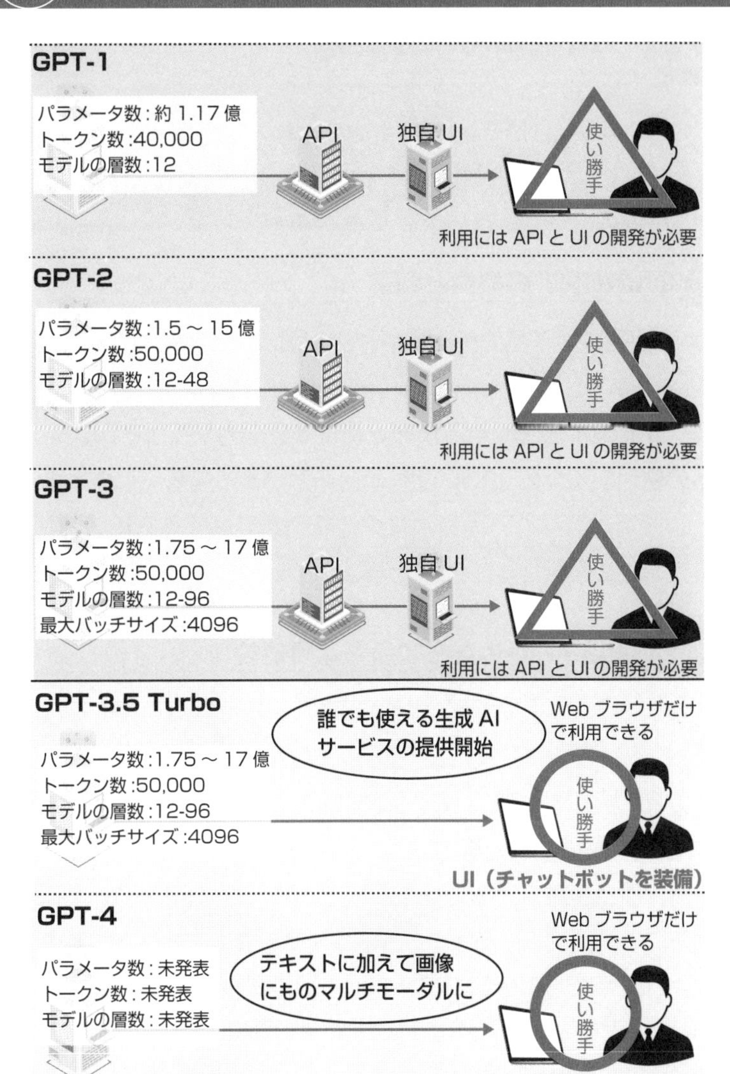

誰でも「有能な秘書」が持てる時代の到来

ChatGPTはいうなれば「有能な秘書」のようなもの。使い方しだいで誰でも秘書が持てる時代になりました。

1 ChatGPT の機能と利点

ChatGPT は、ほとんど人間と同じように自然な言葉（プロンプト）で対話することができます。また、ユーザーがなにを求めているか理解し、的確だと思われる情報を提供する能力を持っています。これらの能力によりChatGPTは、単に人間の作業を肩代わりするツールとしてだけでなく、人がより大きな力を発揮するための「秘書」としての役割を果たすことが可能になります。

2 ChatGPT がもたらす新たな可能性

ChatGPT の利用は、個人だけでなく組織全体の効率化にも寄与します。繰り返しおこなわれるタスクや時間をとられるタスクをChatGPT が担当することで、人間はより高度な思考や創造的なタスクに集中することができます。

また、ChatGPT は24時間365日、いつでも利用可能です。時間や場所に制約されることなく、必要な情報を得ることができます。これにより、個々の作業効率だけでなく、組織全体の生産性向上にも寄与します。

ChatGPT を適切に活用できれば、ほとんどコストをかけることなく「有能な秘書」がサポートしてくれているかのような効率で、作業が進められるようになるでしょう。

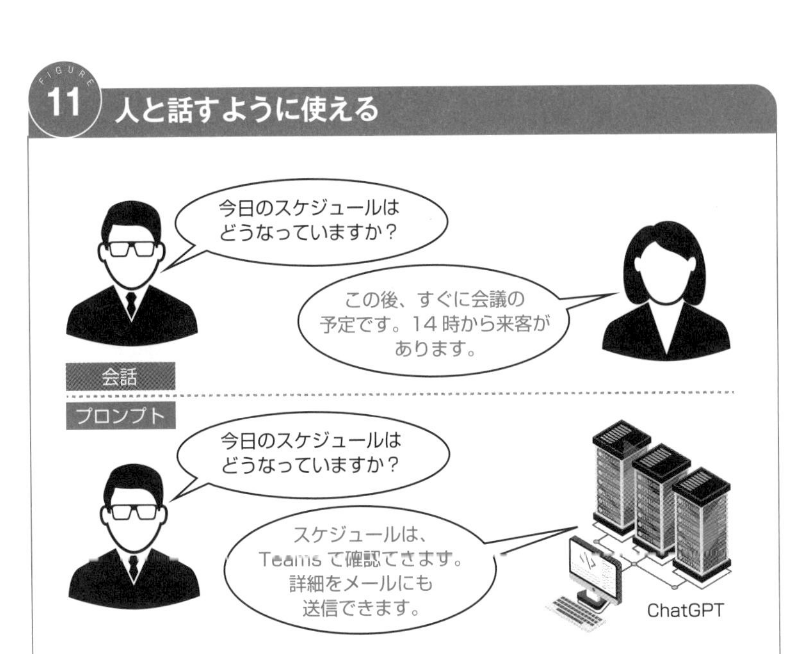
FIGURE 11
人と話すように使える
今日のスケジュールは
どうなっていますか?
この後、すぐに会議の
予定です。14時から来客が
あります。
会話
プロンプト
今日のスケジュールは
どうなっていますか?
スケジュールは、
Teamsで確認できます。
詳細をメールにも
送信できます。
ChatGPT

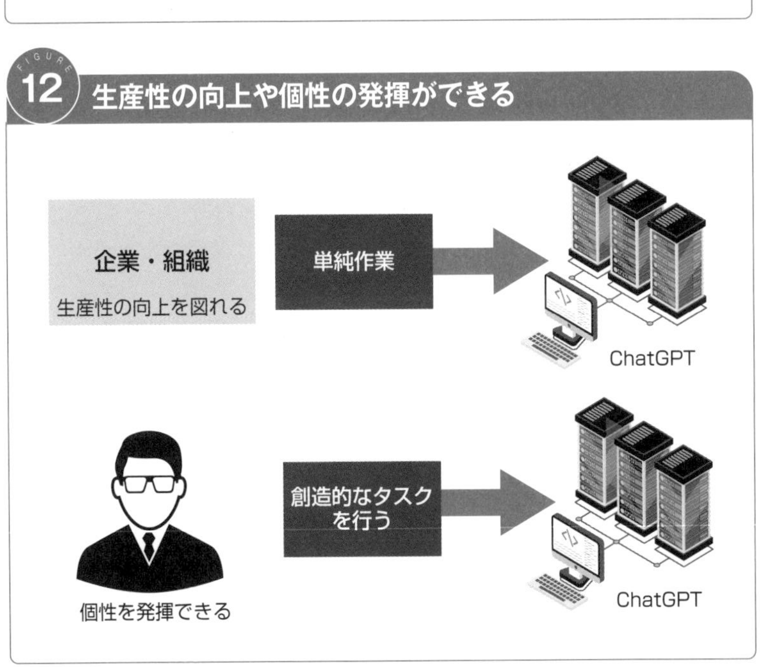
FIGURE 12
生産性の向上や個性の発揮ができる
企業・組織
生産性の向上を図れる
単純作業
ChatGPT
創造的なタスク
を行う
ChatGPT
個性を発揮できる

早すぎる「1億ユーザー」突破

大手金融機関UBSによれば、2023年1月時点でChatGPTの利用者数は1億人超。消費者向けアプリケーションでは史上最速ペースだそうです。

1 ChatGPTの急速な普及とその背後の戦略

ChatGPTは、一般公開からわずか2ヶ月後の2023年1月に、月間アクティブユーザー数1億人を突破しました。これは大手金融機関UBSが「Similarweb（トラフィック集計ツール）」を用いて算出したデータです。1日あたり平均利用者数は1300万人に達し、2022年12月比で2倍以上に増えています。この急速な普及は、OpenAIが他のAI企業に対して優位に立つ一因となっています。また、OpenAIは2月2日に月額20ドルで利用可能なサブスクリプションを新たに発表し、ChatGPTをさらに安定した環境で、さらに高速に利用できるようにしました。

2 ChatGPTの課題と今後の展望

ChatGPTの急激な普及には、一方で課題も存在します。ChatGPTの生成する文章については、学問の場における不正行為を助長したり、誤情報が紛れ込んでいたり、学習に使用した文章フレーズがそのまま流用されたりするケースが報告されています。これらの課題に対する対策として、ユーザーはAIのいうことが常に正しいと思い込まないよう注意が必要です。加えて、ビジネスなど公の文書にChatGPTで生成したテキストを使用する場合は、きちんとした確認作業が必要となります。

13 驚異的な利用者増加を示すグラフ

驚異的な
スピードで利用者
が増えています。

ChatGPT　公開から 2 ヶ月で 1 億 2300 万人

TikTok

Instagram

1 2 3 4 5 6 7 8 9 10 11 12 13 14 15 16 17 18 19 20 21 22 23 24（ヶ月）

14 ChatGPT の課題

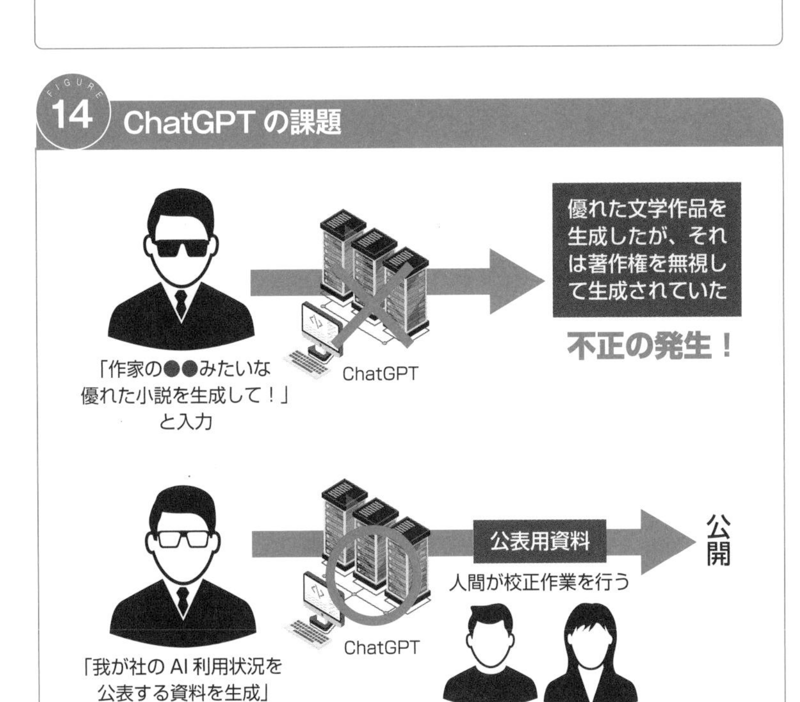

「作家の●●みたいな
優れた小説を生成して！」
と入力
ChatGPT
優れた文学作品を
生成したが、それ
は著作権を無視し
て生成されていた
不正の発生！
「我が社の AI 利用状況を
公表する資料を生成」
と入力
ChatGPT
公表用資料
人間が校正作業を行う
公開

サム・アルトマンと日本の関係

OpenAI社のCEOであるサム・アルトマン氏は、世界各国への訪問を開始。最初の訪問国として日本が選ばれました。

1 アルトマン氏、日本に対する7つの約束

サム・アルトマン氏は日本訪問中に、日本に対する7つの提案を発表しました。

これには、「日本関連の学習データのウェイト引き上げ」、「政府の公開データなどの分析提供」、「GPT-4の画像解析などの先行機能の提供」、「日本におけるOpenAI社のプレゼンス強化」、「日本の若い研究者や学生などへの研修・教育提供」などが含まれています。これらの約束は、日本がAIの活用を通じて世界で大きな存在感とリーダーシップを発揮することを期待してのものです。

2 日本のAIの進化と実装に関するプロジェクトチームへの出席

アルトマン氏は、自民党の「**AIの進化と実装に関するプロジェクトチーム**」に出席し、自身の提案を話しました。このプロジェクトチームには、日本の人工知能研究の第一人者である松尾豊教授（東京大学）が「AIの進化と日本の戦略」という資料を提供したり、「**AIホワイトペーパー（案）**」をとりまとめて、今後の「日本のAI活用に関する提言」をおこなったりと、日本のAI戦略についての検討を進めています。

アルトマン氏の参加は、日本のAIの進化と実装に対する取り組みをさらに強化する一助となるでしょう。

FIGURE 15 OpenAI 社長のサム・アルトマン氏

アルトマン氏は
日本でも積極的に
AIの普及活動を
しています。

FIGURE 16 日本に対する7つの提案

① 日本関連の学習データのウェイト引き上げ

② 政府の公開データなどの分析提供等

③ LLM を用いた学習方法や留意点等についてのノウハウ共有

④ GPT-4 の画像解析などの先行機能の提供

⑤ 機微データの国内保全のため仕組みの検討

⑥ 日本における OpenAI 社のプレゼンス強化

⑦ 日本の若い研究者や学生などへの研修・教育提供

いち早く全社導入を決めたパナソニックコネクト社

パナソニックの子会社であるパナソニックコネクト社は、23年3月からChatGPTを全社に導入しました。

1 ChatGPT 以前から AI 活用を模索

パナソニックコネクト社は ChatGPT がリリースされた2022年11月以前から、GPT-3.5をベースに社内開発した「**ConnectGPT**」という AI をテストしていました。法人向けの ChatGPT が発表されると ConnectGPT から ChatGPT にベースを変更。4月にはパナソニックホールディングス全体で、ChatGPT をベースにした「**PX-GPT**」の利用が始まりました。

2 ChatGPT の活用範囲とセキュリティ対策

パナソニックコネクトでは、ChatGPT の活用範囲を広げています。同社では、アンケートへの回答データの分析、プログラム開発支援、社内 IT ヘルプデスク、法務など専門的立場からの意見を聞くなどの作業に ChatGPT が活用されているようです。これにより、「人間では9時間以上かかる可能性があった作業を6分に短縮できた」といった事例も生まれています。

一方で、ChatGPT の利用にはセキュリティ上のリスクも存在します。パナソニックコネクトでは、Azure OpenAI Service を利用することで、入力情報を AI の再学習に使うデータの二次利用などを防ぐ対策をとっています。

また、機密情報の取り扱いに関する社内規定に沿ってChatGPTの運用規則を定め、情報漏洩のリスク低減を図っています。

FIGURE 17 パナソニックコネクト社のWebページ

FIGURE 18 定型的な業務では人間より断然AIが速い

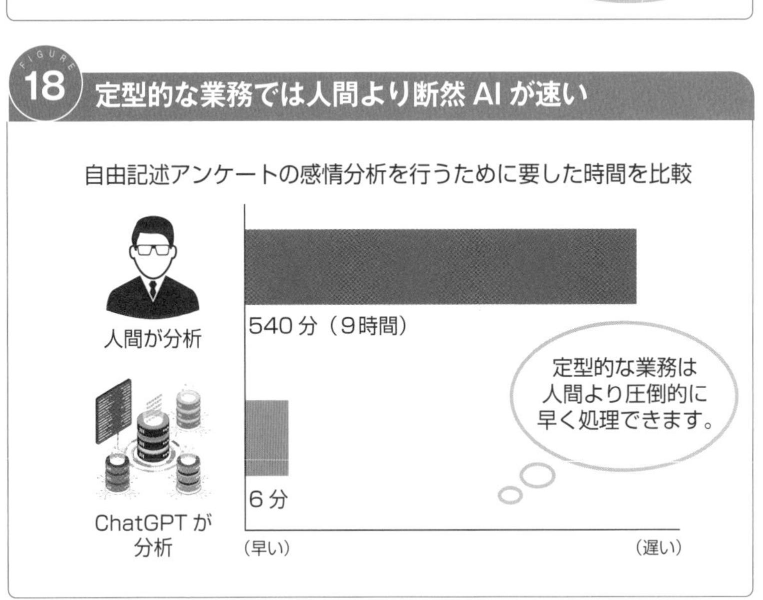

AIの開発停止を求めたイーロン・マスク氏の思惑

OpenAIがGPT-4を発表した直後、テスラ社の代表であるイーロン・マスク氏を中心に、6ヶ月間AIの開発停止を求める公開書簡が発表されました。

1 公開書簡の主要な主張と提案

公開書簡では、高度なAIが地球上の生命の歴史に大きな変化をもたらす可能性があり、その計画と管理には相応の注意とリソースが必要であると主張されています。しかし、現状のAI開発はこのレベルでの計画や管理がおこなわれていないと批判されています。また、現代のAIが人間と競争できるまでに成長していることを指摘し、人間がこれまで培ってきた文明を失う危険を冒すべきかと問いかけています。そこで、AIが人類に与えるリスク低減を目指す非営利団体「**Future of Life Institute**」は、高度なAIの開発とトレーニングを少なくとも6ヶ月間、ただちに一時停止すべきと求めています。

2 公開書簡への署名者とその影響

公開書簡には、**イーロン・マスク**氏や**スティーブ・ウォズニアック**氏、生成系AIを開発するStabilityAI社の代表であるエマド・モスタク氏など、ITやAI領域で大きな影響力と深い知識を持つ専門家や多くの有力者が署名しています。

しかし、その中にはOpenAIの社員は一人も含まれていません。実際、これ以後もChatGPTの開発は継続されています。

FIGURE 19 イーロン・マスク氏の公開書簡文面

Pause Giant AI Experiments: An Open Letter

We call on all AI labs to immediately pause for at least 6 mo
systems more powerful than GPT-4.

ChatGPTの開発を6ヶ月間中断するように提案した書面です。

Signatures
31810

Add your signature

PUBLISHED
March 22, 2023

AI systems with human-competitive intelligence can pose profound risks to society and humanity, as shown by extensive research[1] and acknowledged by

FIGURE 20 署名者の氏名

Signatories

Yoshua Bengio, Founder and Scientific Director at Mila, Turing Prize winner and professor at University of Montreal

Stuart Russell, Berkeley, Professor of Computer Scienc
for Intelligent Systems, and co-author of the standar
Intelligence: a Modern Approach"

著名人が賛同した証のリストです。

Elon Musk, CEO of SpaceX, Tesla & Twitter

Steve Wozniak, Co-founder, Apple

Yuval Noah Harari, Author and Professor, Hebrew University of Jerusalem.

Emad Mostaque, CEO, Stability AI

政府与党のAIプロジェクトチームの活動

ChatGPTの登場を受け、日本政府内では自民党を中心にAI活用のための体制作りをすすめています。

1 AIホワイトペーパーとその提言

自民党の「AIの進化と実装に関するプロジェクトチーム」は、「AIホワイトペーパー（案）」を公開しました。このホワイトペーパーでは、「国家的なAI戦略の必要性」「国内AI開発基盤」「行政でのAI利活用」「民間でのAI利活用」「AI規制」についての提言がまとめられています。

具体的には、先行している海外の基盤モデルAIを土台とし、またはパートナーシップを組む形で、国内でも基盤モデルを用いた「さまざまな応用研究・開発を加速させるべき」としています。また、海外の画像生成AIが日本をテーマにした絵をうまく作成できない、いわゆる「データバイアス」についても触れています。

2 AIの社会実装化への取り組み

自民党デジタル社会推進本部は、「AIの進化と実装に関するプロジェクトチーム」を設置し、AIの社会実装化に向けた新たな目標を示しました。具体的には、大規模災害の予測・予防や、気候変動による影響が大きくAIを取り入れることで、課題解決が期待される農業などの領域への導入目標をあげています。また、一定以上の規模である民間企業には、「**チーフデジタルオフィサー（CDO）**」を設置し、AI利用やデータ取り扱いの「責任者を置くべき」としています。

FIGURE 21 AI の進化と実装に関するプロジェクトチームの Web

AI、社会実装化へ

党デジタル社会推進本部（本部長・平井卓也衆院議員）は「AIの進化と実装に関するプロジェクトチーム（PT座長・平将明衆院議員）」を新たに設置し、2月3日、初会合を開きました。国内外の人工知能（AI）政策の現状について関係省庁等から説明を受け議論しました。
内閣府は、近年、凄まじい進展を遂げるAIの技術を紹介し、社会実装の推進に向けた新たな目標を示しました。大規模災害の予測・予防等や、気候変動による影響が大きくAI実装による課題解決が期待される農業分野等への導入目標を挙げ、国民の命と財産を守ることに資する実用化を目指すとしました。

FIGURE 22 AI ホワイトペーパーの一部

AIホワイトペーパーの要旨

Column

AIで私たちの日常はどう変わるのか？

ChatGPTなどの対話型AIが広まることで、私たちの日常生活にどのような変化があるのでしょうか？

現在はChatGPTを使いたければ、OpenAIの公式サイトやスマホアプリを使う必要があります（APIを使ったアプリ開発は上級者向けなのでここでは除外します）。しかし、今後のAI技術の発展によっては、日常的な作業の多くがAIを介して実行できるようになるかもしれません。

たとえばマイクロソフト社が発表している「Microsoft 365 copilot」の機能は、AIとの共同作業をイメージしやすいかもしれません。Microsoft 365 copilotでは、Wordを使いながら「AIに執筆内容へのフィードバックをさせる」、Excel内で「適切な関数の提案を受ける」など、AIのサポートを受けながら日常業務を進めることが可能です。

今のところ対話型AIが効率化しているのは「仕事」の領域だけに思えますが、いずれは私たちの生活にも技術が応用されるようになるはずです。もしかしたら、「1週間分の献立を作って」とお願いしたら、材料の購入・配送指示・調理・栄養管理までAIが一括で実行してくれる日が来るかもしれませんね。

まるで、SF作品の描写のようですが、ChatGPTをはじめとする対話型AIが発展すれば、このような技術が一般に普及するのは、そう遠い未来のことではないように思えます。

ChatGPT の概要

ここからは、ChatGPTが持つ機能を概要から紹介します。ChatGPTは、オールマイティな能力を持っています。できることが広範にわたるので、使いこなすには、少しコツが必要です。

ChatGPTは「確率」で文章を作る

まずはChatGPTがどのような仕組みで文章を生成しているかを簡単に説明します。

1 ChatGPTの基本的な動作原理

ChatGPTは5兆語ともいわれる大量のテキストデータからパターンを学習し、それをもとに新しい文を生成します。最新版のGPT-4のデータ量は、明らかにされていませんが、1世代前より数十～数百倍に及ぶといわれています。ChatGPTは人間が入力した文章（プロンプト）を読み取り、対応する回答を生成します。質問に対して決まった回答がプログラムされているわけではないので、同じ質問を複数回したとしても、まったく同じ回答になることはありません。

2 ChatGPTが文章を生成する「確率」の仕組み

ChatGPTが文章を生成する際には、学習済みのモデルを用いて「次にどの単語が来るべきか」を予測します。

この予測は、事前に学習した確率分布にもとづいておこなわれます。ChatGPTは与えられた文脈にもとづいて、次に出現する単語の確率を計算し、その確率が高い単語を選択するというプロセスを繰り返して文章を生成します。各単語の選択は、確率によって出力は変わるため、たとえばどんな文脈であっても「昔々、」の後に「あるところに…」と続くわけではありません。そのため、ユーザーの入力に対して自然な回答が可能なのです。

FIGURE 23 5兆語のデータでパターン学習をした

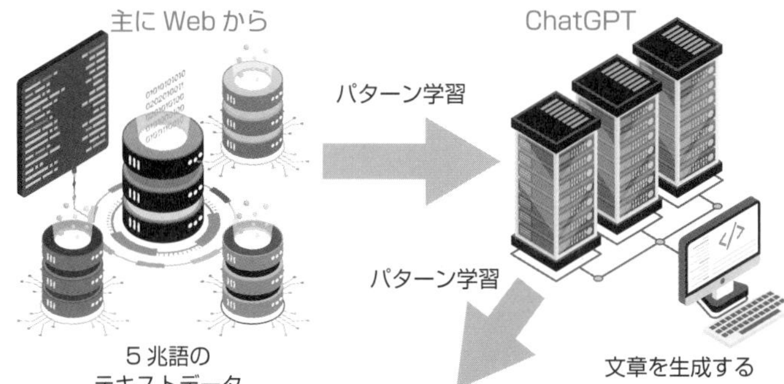

次の文字を確立から
導い出しています。

●ChatGPT の基本的な動作原理
ChatGPT は「5 兆語」ともいわれる大量のテキストデータからパターンを学習し、それをもとに新しい文を生成します。ChatGPT は人間が入力した文章を読み取り、対応する回答を生成します。質問に対して決まった回答がプログラムされているわけではないので、同じ質問を複数回したとしても、……

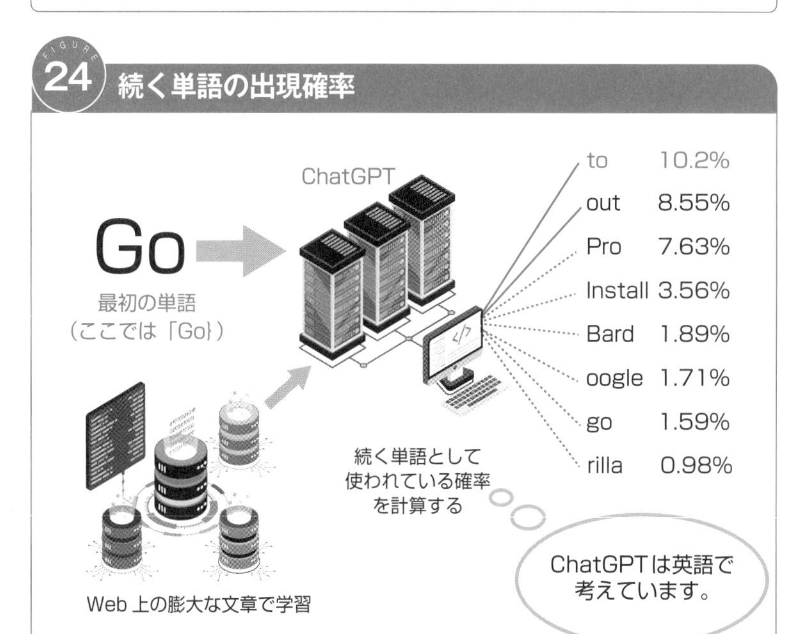

言語によるChatGPTの性能差

ChatGPTが登場した当初、ChatGPTは英語で使うともっともよいとされていました。現在はどうでしょうか？

1 ChatGPTの初期段階における言語対応

ChatGPTが初めて登場したとき、その訓練データは、主にインターネット上に存在する英語のテキストで構成されていました。

インターネット上に存在する英語のテキストデータは、ほかの言語に比べてボリュームが大きいため、より多くの言語パターンとニュアンスを学習していました。そのため、英語に対する性能が他の言語に比べて高く、ChatGPTの機能を十分に引き出すには英語以外を母語とするユーザーでも、英語を使わざるをえませんでした。

2 2023年のChatGPT：多言語対応の進化

しかし、GPT-4が登場して以来、この状況は大きく変わっています。最新のモデルであるGPT-4は、26言語のうち24の言語でGPT-3.5の英語版の性能を上回る結果を出しています。

これには日本語はもちろん、リソースが少ない言語（例えばラトビア語、ウェールズ語、スワヒリ語など）も含まれています。これにより多くのユーザーが、日常的に使う言語でChatGPTの性能を十分に引き出せるようになりました。

25 初期は学習のベースが英語に偏重していた

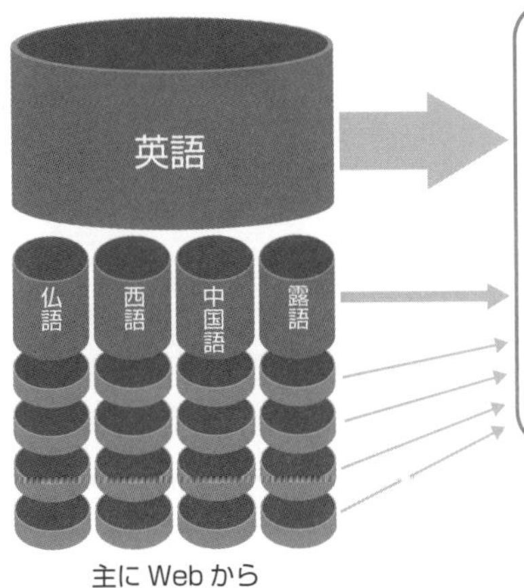

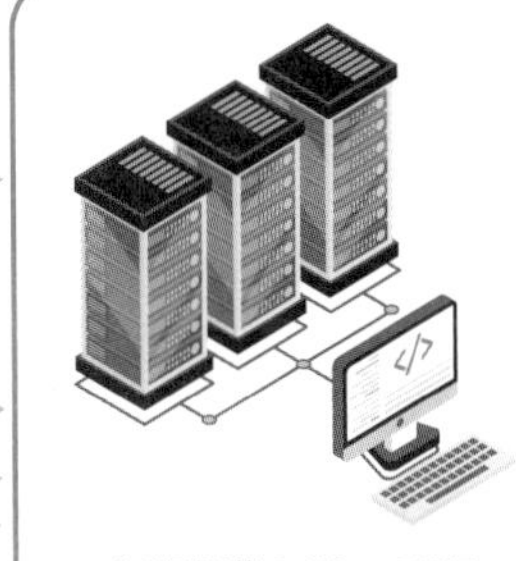

インターネット上の Web から膨大な言語パターンとニュアンスを学習したため英語の学習が主になっていた

26 多言語に対応した

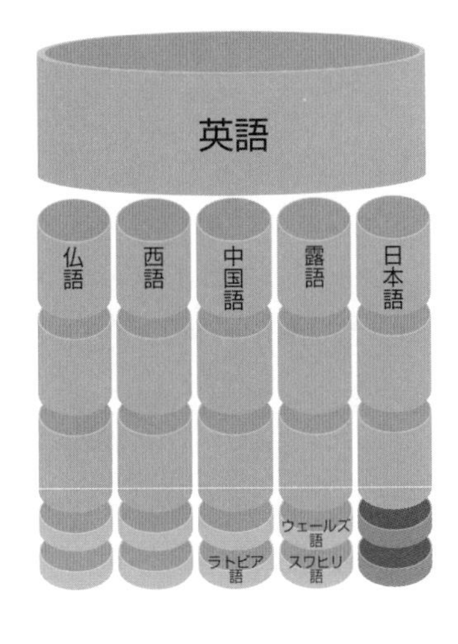

対応 26 言語中の 24 言語で GPT-3.5 より高速化した

GPT-4で性能が飛躍した

ChatGPTの中身がGPT-3.5からGPT-4にバージョンアップしたことで、多くの機能・能力が飛躍的に上昇しました。

1 GPT-4の主な改善点と新機能

GPT-4はGPT-3.5と比較して、入出力のテキスト量が約8倍の約2万5千語（厳密には32,768トークン）まで増加し、長文のコンテンツ作成や長い会話、文書の検索・分析が可能になりました。

さらに、画像入力の処理能力が追加され、より複雑なタスクに対応できるようになりました。また、出力の正確さが向上して、「自信たっぷりだが、不正確なレスポンス（**ハルシネーション**）」が減少しました。

2 GPT-4の新たな用途と安全性向上の取り組み

GPT-4の能力は、一般司法試験などの人間向けの標準化試験で証明されています。また、開発者デモでは、画像をコードに変換する能力が示されました。

さらに、視覚障がい者向けの技術開発では、GPT-4の画像処理能力が活用されています。また、有害な内容を生成するリスクを減らすための取り組みが強化され、モデルの出力が大幅に改善されました。

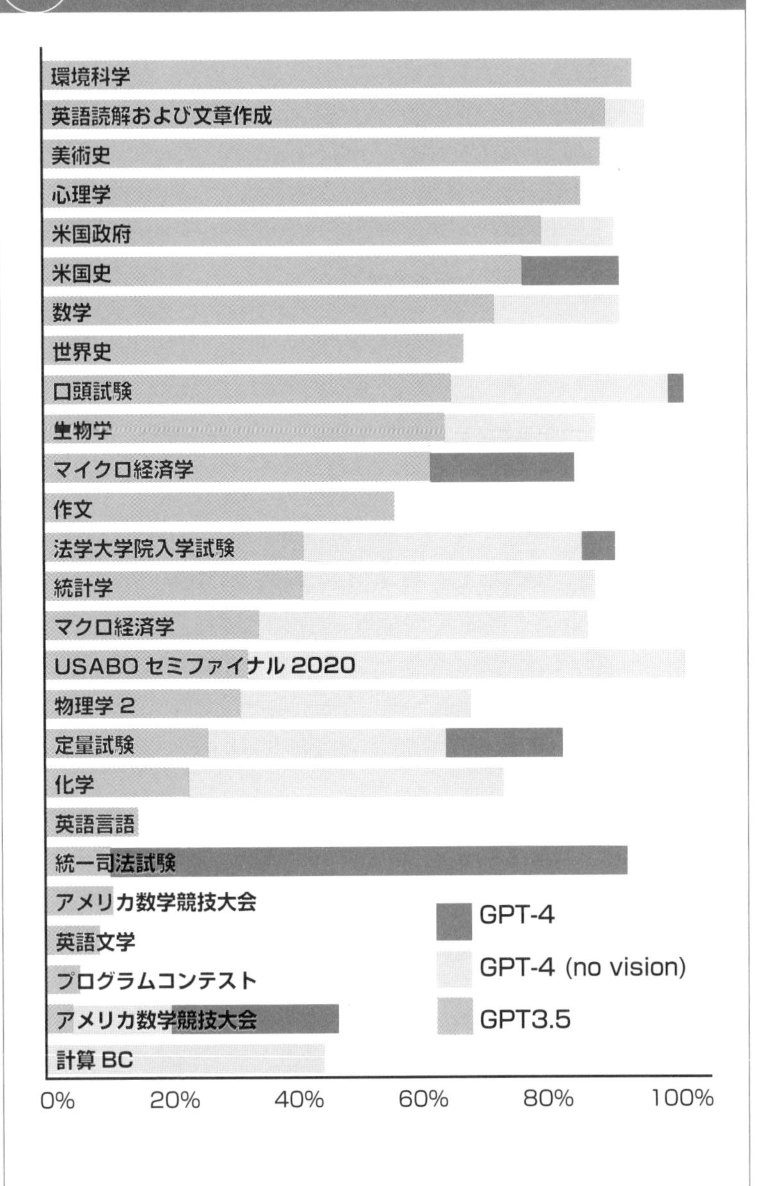
FIGURE
27
GPT-3.5の成績順の試験結果とGPT-4の成績
環境科学
英語読解および文章作成
美術史
心理学
米国政府
米国史
数学
世界史
口頭試験
生物学
マイクロ経済学
作文
法学大学院入学試験
統計学
マクロ経済学
USABO セミファイナル 2020
物理学 2
定量試験
化学
英語言語
統一司法試験
アメリカ数学競技大会
英語文学
プログラムコンテスト
アメリカ数学競技大会
計算 BC
GPT-4
GPT-4 (no vision)
GPT3.5
0%
20%
40%
60%
80%
100%

GPT-4はテキスト以外にも対応したマルチモーダル

ChatGPTのモデルがGPT-3からGPT-4にアップデートされたことで、ChatGPTはテキスト以外の入力もできるマルチモーダルに対応しました。

1 画像入力に対応したGPT-4

GPT-4は以前のバージョンとは異なり、画像とテキストの両方をモデルに入力できます。具体的には、GPT-4は画像をコードに変換する能力を持っています。2023年3月14日の開発者デモライブストリームで、OpenAIの共同創設者であるグレッグ・ブロックマン氏は、ウェブサイトのスケッチ画像を撮影し、その画像をGPT-4のプロンプトの一部として入力しました。そして、GPT-4はそのスケッチにもとづいて実際に機能するウェブサイトを作成できるHTMLコードを生成しました。

2 視覚障がい者支援に貢献するGPT-4

GPT-4の画像処理能力は、視覚障がい者コミュニティ向けの技術を開発する組織であるBe My Eyesとの協力によって応用されました。Be My EyesはGPT-4の画像処理能力を活用して、「Virtual Volunteer」という画像認識機能を持つアプリケーションを作成しました。このアプリケーションは、スマートフォンのカメラからの入力を受け取り、画像内のものを識別し、識別したものをアプリケーションのユーザーに読み上げます。

28 画像にも対応したGPT-4

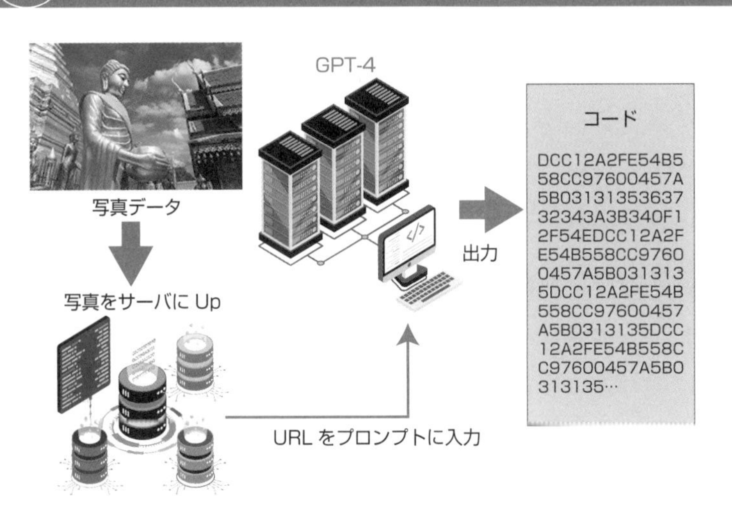

29 Be My Eyesの利用イメージ

スマホとAIが
視覚障がい者を
サポートする。

画像提供：By My Eyes

ChatGPTを使う準備

ここでは、実際にChatGPTを使うために必要なOpenAIアカウントの作り方を紹介します。

1 アカウント作成はOpenAI公式HPから

ChatGPTを使う前にOpenAIアカウントを作りましょう。アカウント作成および無料版ChatGPTの利用に料金はかかりません。そのため、気軽に使い始められます。

下記の手順に沿って、OpenAIアカウントを作ってみてください。

【アカウント作成手順】

1. 「ChatGPT」と検索し「Introducing ChatGPT」というタイトルのページを開く。または次のURLにアクセスする。
   https://openai.com/blog/chatgpt
2. ページ内の「Try ChatGPT」または「Sign up」をクリックする。
3. メールアドレスを入力し、「Continue」をクリックする。
4. 入力したメールアドレスに届く認証メールからアカウントを認証する。

※任意のメールアドレスのほか、Google、Microsoft、Appleのいずれかのアカウントにひもづけることもできます。

2 ChatGPTとチャットを始める

設定したアカウントでログインすると、すぐにチャット画面に移ります。ChatGPTは、私たちが普段使っている言葉（自然言語）

で指示が出せるため、プログラミングのように専門知識がなくても利用可能です。ChatGPT に対する指示文を「プロンプト」と呼ぶこともありますが、ChatGPT 専用の特別な指示方法があるわけではないということは覚えておくとよいでしょう。

FIGURE 30 アカウントを作る

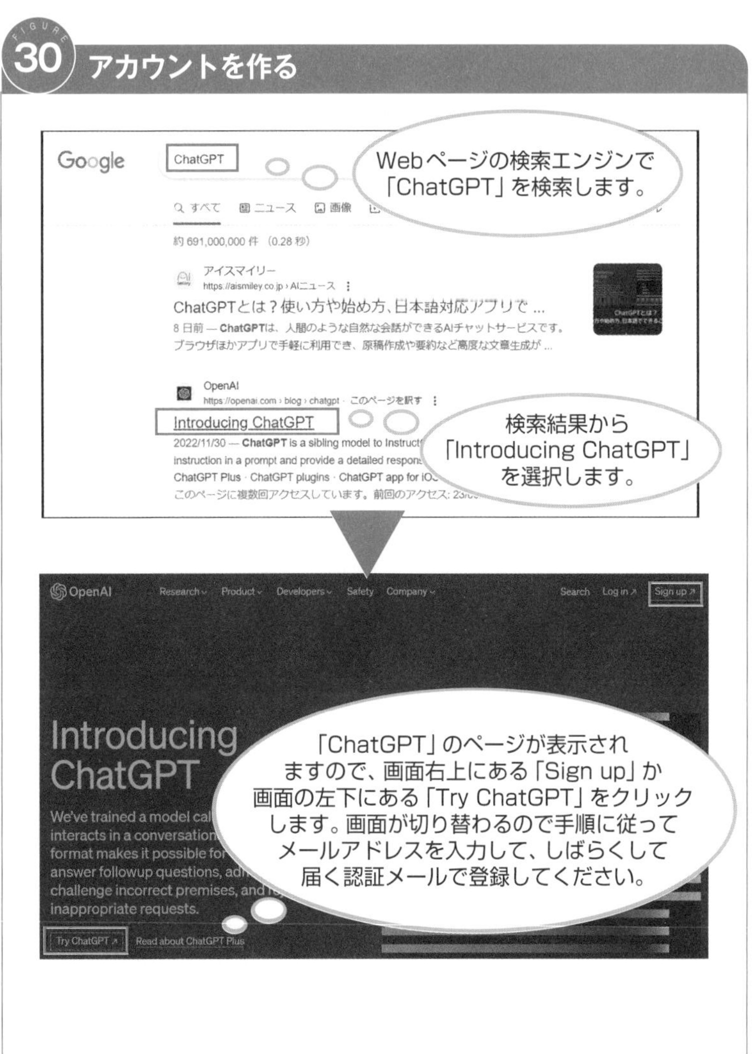

Webページの検索エンジンで「ChatGPT」を検索します。
検索結果から「Introducing ChatGPT」を選択します。
「ChatGPT」のページが表示されますので、画面右上にある「Sign up」か画面の左下にある「Try ChatGPT」をクリックします。画面が切り替わるので手順に従ってメールアドレスを入力して、しばらくして届く認証メールで登録してください。
Introducing ChatGPT

プラグインで機能を拡張できる

OpenAI社はChatGPTの機能を拡張する「プラグイン」の開発・実装を発表。サードパーティ製プラグインも利用できるようになるそうです。

1 プラグインの機能と利点

ChatGPTは、現在、200以上のサードパーティ製**プラグイン**を利用することができます。これらのプラグインは、ビジネス、教育、金融、投資、娯楽など、ユーザーのさまざまなニーズに対応するよう設計されています。Expedia、Zillow、KAYAK、Instacart、OpenTableなどのサードパーティプロバイダーからのプラグインを使用すると、求人を検索したり、不動産リストを見つけたり、製品の推奨を受け取ったり、ショッピングをしたり、ゲームをプレイしたり、レシピを得ることができます。

2 プラグインの利用方法

ChatGPT Plusユーザーは、新たに追加されたプラグインを試すことができます。設定画面からプラグインのスイッチをオンにし、プラグインストアを開きます。興味のあるプラグインが見つかったら、それをインストールしてセットアップします。一度に有効にできるプラグインは最大3つまでです。

チャット画面でプラグインに関連するプロンプトを入力すると、ChatGPTがインストールしたプラグインを利用して応答します。

ChatGPT とプラグインの関係

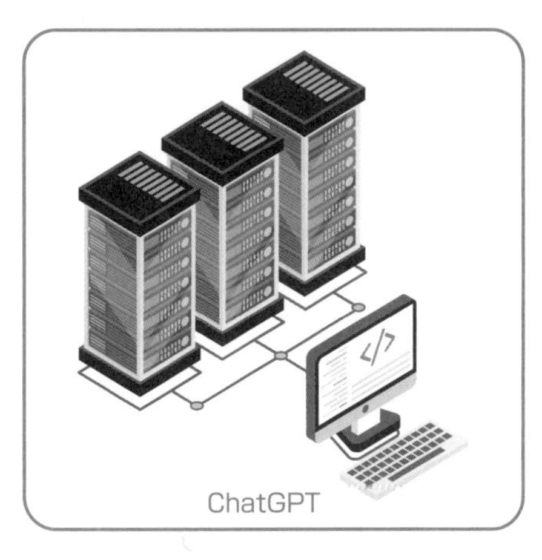

プラグインを使わない場合は、ChatGPT が備える基本的な機能だけが使える状態

数多くの中から選択したプラグインを同時に3個まで利用できる！

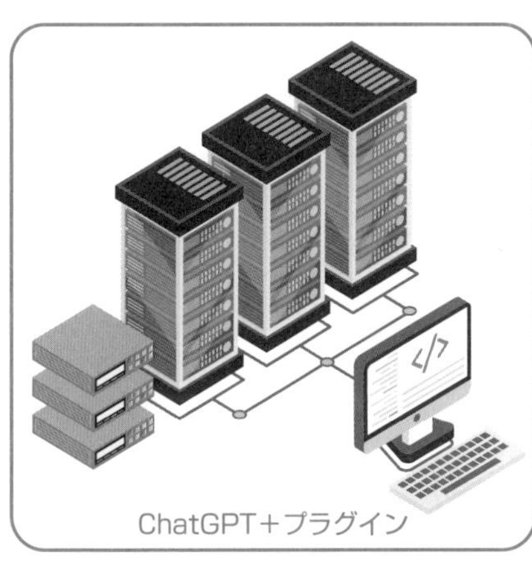

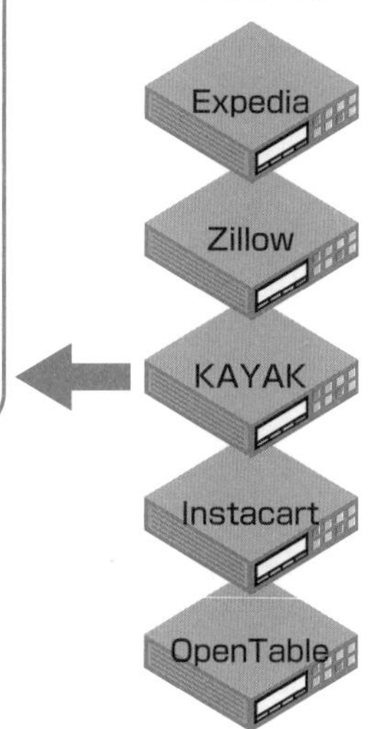

プラグインで ChatGPT にない機能を追加して ChatGPT が使える！
ただし、サブスクリプション（月額 20 米ドル必要）を選択する必要がある

Webブラウジング機能の実装

23年5月13日、OpenAI公式がすべてのChatGPT Plusユーザーに Webブラウジング機能を開放することを発表しました。

1 Webブラウジング機能の活用方法

ChatGPTにWebブラウジング機能が実装されたことで、インターネットに存在するリアルタイム情報をもとに、回答を生成することができるようになりました。ChatGPTのWebブラウジング機能は、ユーザーが設定画面から有効にすることで利用可能となります。具体的には、ChatGPTの設定画面から「Beta features」を開き、「Browse with Bing」というトグルボタンをオンにします。設定後、質問を入力すると、ChatGPTは必要に応じてWeb検索をおこない、その結果をもとに回答を生成します。回答の作成に検索した情報が利用された場合、参照した記事へのリンクが表示されます。

2 Webブラウジング機能の制限と注意点

Webブラウジング機能は便利な一方で、いくつかの制限と注意点があります。一つは、技術的な制限があるため、すべての質問に対して回答を生成できるわけではない点です。また、回答の生成には時間がかかることがあり、数分かかるケースもあります。さらに、回答の正確さは質問によるため、ユーザーが出典を確認するなどしたほうがよいとされています。

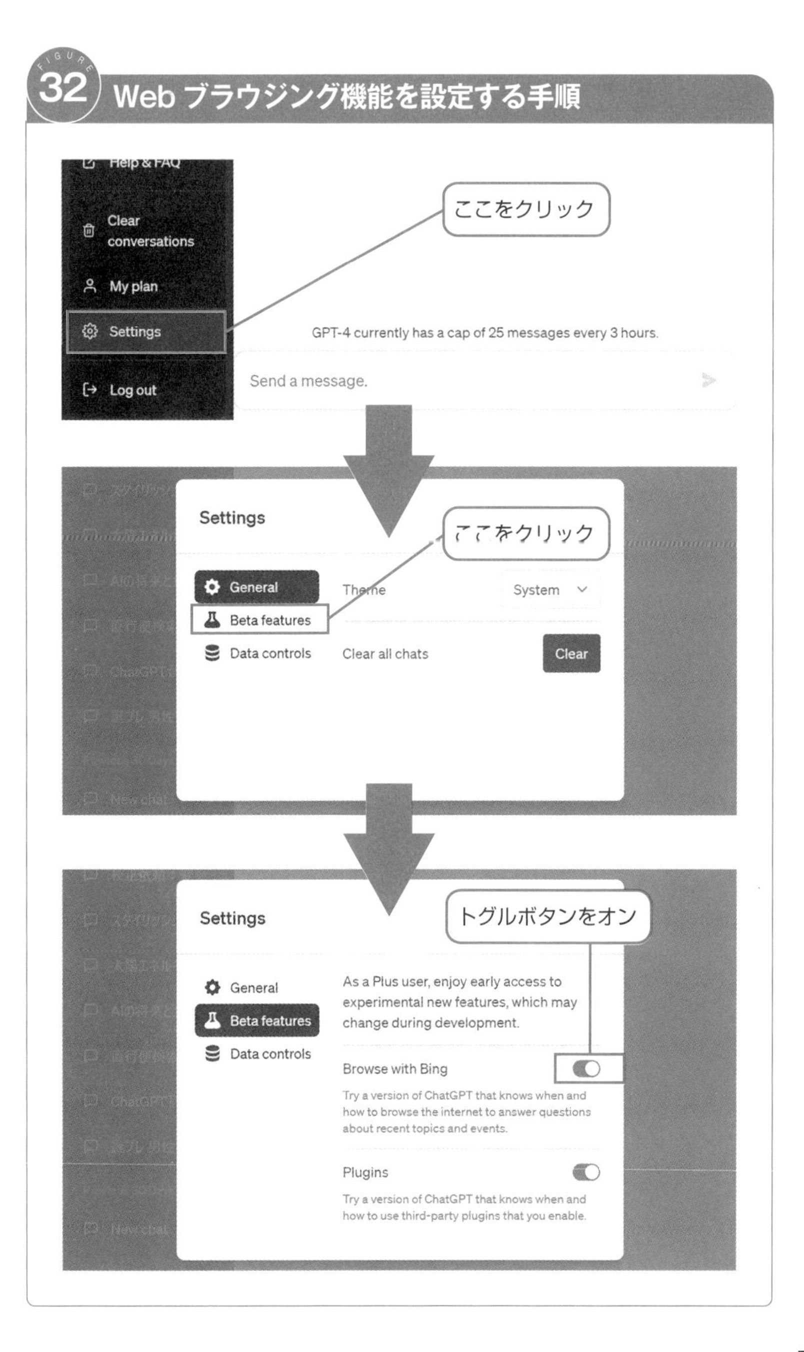
Help & FAQ
Clear conversations
My plan
Settings
Log out
ここをクリック
GPT-4 currently has a cap of 25 messages every 3 hours.
Send a message.
Settings
ここをクリック
General
Beta features
Data controls
Theme
System
Clear all chats
Clear
Settings
トグルボタンをオン
General
Beta features
Data controls
As a Plus user, enjoy early access to experimental new features, which may change during development.
Browse with Bing
Try a version of ChatGPT that knows when and how to browse the internet to answer questions about recent topics and events.
Plugins
Try a version of ChatGPT that knows when and how to use third-party plugins that you enable.

FIGURE 32 Web ブラウジング機能を設定する手順

CHAPTER 2

8 スマホアプリになったChatGPT

2023年5月にOpenAI社は、スマートフォンアプリ版のChatGPTを公開しました。これで、iOSとAndroidでChatGPTが使えるようになりました。

1 iPhoneやAndroidでもChatGPTが使える

2023年5月にOpenAI社がスマートフォンアプリ版のChatGPTをリリースしました。公開当初はiOSのみかつ日本では利用できませんでしたが、現在ではAndoroidおよび日本を含む100以上の国や地域でアプリ版ChatGPTが使えます。アプリ版リリース 以前もブラウザアプリからChatGPTを利用することはできましたが、あくまでPC版のサブ的な使用感でした。その点アプリ版はスマホでの利用に特化しており、入力方法やチャット履歴の見やすさなどが大きく異なります。

また、現在のところ、アプリ版ChatGPTではプラグインやWebブラウジング機能が使えません。ブラウザ版でそれらの機能を使っておこなったチャット履歴をアプリ版で閲覧することはできますが、機能を利用して新たにチャットすることは不可能です。

2 音声入力でChatGPTをさらに使いこなす

スマホアプリ版のChatGPTは、通常のテキスト入力に加えて音声入力にも対応しています。スマホ本体のマイクを使って音声入力できるため、特別な機材などを用意する必要はありません。PCでChatGPTを使う場合、入力にキーボードが使えるため長文で指示をしやすいといえるでしょう。一方アプリ版は長い入力にはあまり向いていませんが、音声入力が使えるため、本当にAIと会話しているような気軽さでChatGPTを使うことが可能です。そのため、1人でおこなうブレインストーミングや外国語会話の練習など、会話中心で実施する作業をおこなうのに向いています。

FIGURE 33 スマホでChatGPTを使う

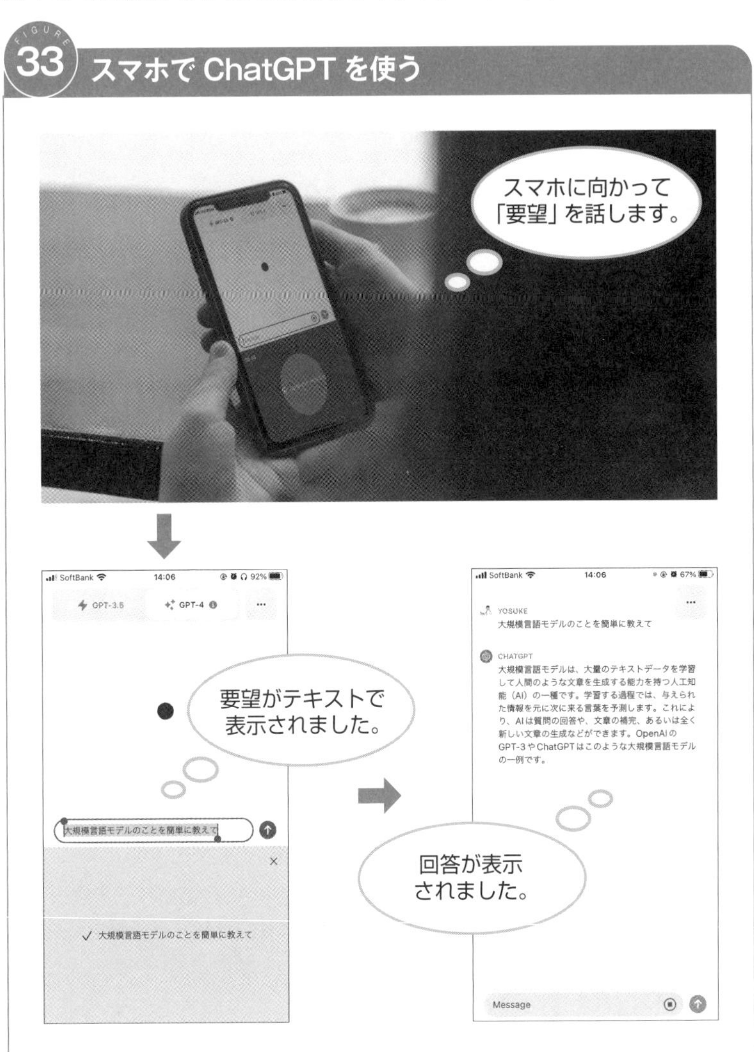

Column

ChatGPTで世界はどう変わるのか？

ChatGPTなど生成系AIの登場により、社会的なAI利用の機運が高まっています。このままAI利用が拡大すると、私たちの仕事や生活はどのように変わっていくのでしょうか？

最初に考えられるのは、私たち個人の生産性の向上です。これまでは人間が数時間かけておこなっていた作業でも、AIを利用すれば数分で完了できるようになるかもしれません。個人の作業効率が上がれば同じ時間でより多くのタスクがこなせるようになり、結果として社会全体の生産性が徐々に向上していくでしょう。

これまでの歴史の中で「産業革命」と呼ばれる大きなパラダイムシフトが何度か起こってきましたが、ChatGPTの登場はそれらに匹敵するほどのインパクトを世の中に与えるものだと私は考えます。

たとえばPCが一般に普及しはじめてまだ1世紀も経っていませんが、いまやPCなしで仕事をすることは困難です。オフィスワークが中心の人であれば、PCに触らない日がないことも多いでしょう。このような社会的状況で、「まったくPCの操作ができません」という人が選べる仕事の幅は狭くなるはずです。

スキルを身に着けるということは、すなわち自分の人生の選択肢を増やすことでもあります。AIもそれは同じ。AIは「お願いすれば勝手になんでもやってくれる機械」ではありません。適切な使い方を知り、実践を通じて習熟することでより便利に使えるようになるものです。

「AIブーム」といわれる昨今、まだまだ一部の人間が先行して使っている状態ですが、いずれ世界中でAIを利用するのが当たり前になる日が来るかもしれません。そのとき覇権を握っているのはOpenAI（ChatGPT）ではないかもしれませんが、誰でも使えるAIの黎明期である今のうちから使うことに慣れておけば、一般に普及したとき、あなたは「AIに詳しい人間」として仕事ができるわけです。

もしさほど普及しなかったとしても、普段の仕事をAIで効率よく進めれば個人的な評価を得やすくなるかもしれません。

一方で、AI利用を進めるうえでAIのリスクもきちんと理解しておく必要があるでしょう。代表的なリスクには、次のようなものがあります。

・ユーザーデータの漏洩
・プライバシー侵害
・学習バイアス
・AIのブラックボックス化
・不正利用による悪影響

この中で、ユーザーデータの漏洩やプライバシー侵害、学習バイアスに関してはどちらかといえばAI開発者の課題です。OpenAI社も学習データのオプトアウトを実装したり、開発段階でバイアス排除に取り組んだり、システムのセキュリティを向上させたりとさまざまな改善を図っています。

ユーザーが対応できるリスクは、おもに不正利用や誤った利用を避けることです。「既存の作品の特徴を学習させたAIで生成した作品を第3者が販売する」「AI利用作品を『不使用』だと偽って発表する」などの意図的な不正利用はもちろん、「AIが生成した文章が既存の文章のコピーやマイナーチェンジだった」「参照したデータを引きうつした状態になっていた」「誤った情報を正しいかのように提供した」といった無意識の不適切利用が発生する可能性もあります。

さまざまな作業を気軽に実行できるからこそ、利用者のモラルやリテラシーが強く問われます。法律で明確な基準が設けられていない現在、ユーザーがモラルを軽視した利用を続けると、いずれAI利用が厳しく制限されてしまうかもしれません。

せっかく私たちの社会をさらに発展させる可能性のある技術が生まれたのですから、一時の満足のためにAIそのもののイメージを悪化させてしまうようなおこないは慎みたいところですね。

しかし、リスクを恐れるあまりAI利用に及び腰になるのも健全な態度とはいえません。リスクとしっかり向き合うことで、課題を克服しつつAIの良い面を利用しやすくなります。

いきなり「仕事に活かそう！」と意気込む必要はありません。特にChatGPTは無料で利用できますから、まずは「お試し程度に触れる」ことから始めてみてはいかがでしょうか。

CHAT GPT
これから「ChatGPT」を
試してみませんか？

ChatGPT の基本機能

「ChatGPTはすごい！」という意見はよく聞きますが、実際どのような機能があるのでしょうか。本章では基本的な機能を紹介し、「できること」「できないこと」を整理してみましょう。

「文章で表現できること」なら なんでも可能

ここからはChatGPTが持つ基本的な機能について紹介します。ChatGPTは文章で表現できる作業であれば、だいたいのことができます。

1 人の言葉を理解し、テキストを生成する

ChatGPT は、最先端の自然言語処理（NLP）テクノロジーを使用していて、ユーザーが入力するテキストを理解し、それに応じた適切な応答を生成します。

この理解と生成の過程は、人間が会話をおこなうのと同様に、文脈を把握し、適切な言葉を選び出すという形でおこなわれます。特に、ChatGPT は文章で表現できる問題解決、情報提供、クリエイティブな作品作りなど、多岐にわたるタスクをこなすことができます。

2 テキストベースの作業ならほぼ万能

文章を生成する能力は、テキストベースの多くのタスクで有用です。例えば、ChatGPT は、ユーザーからの質問に答える Q&A システム、新しいアイデアを出すブレインストーミングの助け、日常的な会話のサポートなど、幅広い用途で利用できます。

さらに、物語や詩の作成、論文の要約など、よりクリエイティブなタスクにも対応します。

FIGURE 34 会話と同じ感覚で ChatGPT は使える

・人は言葉で会話

今日の会議の議事録を日本語と英語ですぐに書いてください。

はい。英語と日本語で議事録を書きました。

・AI とテキストで会話

ユーザーは PC やスマホから日本語など自然な言葉で要望を入力します。この要望テキスト（文章）を「プロンプト」と呼びます。

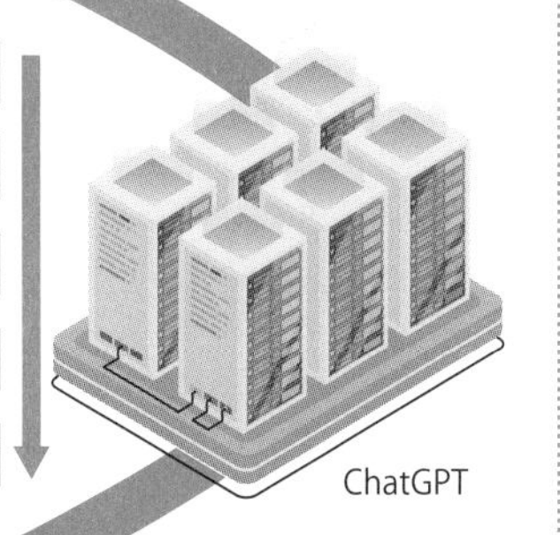

プロンプトを解析

問題を解決・要約・翻訳など

ユーザーの要望に対する回答がテキストで返されます。もし、回答に不足があれば、会話のように次の要望のプロンプトとして入力します。

他言語への翻訳も瞬時にできる

英語から日本語など、ChatGPTはある言語から別の言語への翻訳がスピーディーに実行可能です。

1 GPT-4による高度な翻訳能力

GPT-4は、自然言語処理の分野で画期的な改善を達成しました。その一つが翻訳能力の強化です。例えば、ある言語から別の言語への翻訳は、より精度を高く、リアルタイムにおこなうことができます。

文脈を理解し、ユーザーのニーズに応じた詳細な情報を提供することも可能です。また、長い文章の要約や複雑な問いへの回答など、より高度なタスクにも対応しています。

2 ブラウジング機能を活用した翻訳情報の取得

ChatGPT はブラウジング機能を持っており、Web 上の情報を活用することができます。これにより、特定の翻訳要求に対する最新の情報を瞬時に取得することが可能です。また、ユーザーが特定の翻訳情報を求めている場合、複数の検索クエリを同時に処理し、その情報を組み合わせて最適な回答を提供します。

この機能は、ChatGPT が提供する翻訳の精度と速度を一層高めるための重要な要素です。

FIGURE 35 学習データの範囲でしか答えられないChatGPT

今日の日本の最新ニュースを要約してからフランス語に翻訳してください。

私の設定により、私は2021年9月以降のリアルタイムの情報やニュースにアクセスすることができません。そのため、現在の日付に対応した最新のニュースを提供することはできません。あなたが特定のトピックについて情報を求めている場合、私はそれまでに学んだ情報を元にして答えることは可能です。そしてその情報をフランス語に翻訳することも可能です。しかし、私が現実世界の最新のニュースを生成することはできません。私の情報は、2021年9月までの情報に基づいています。

Regenerate resp

Send a message.

無料版のChatGPTは
リアルタイムの情報に
対応できません。

FIGURE 36 ブラウジング機能でリアルタイムの情報に対応

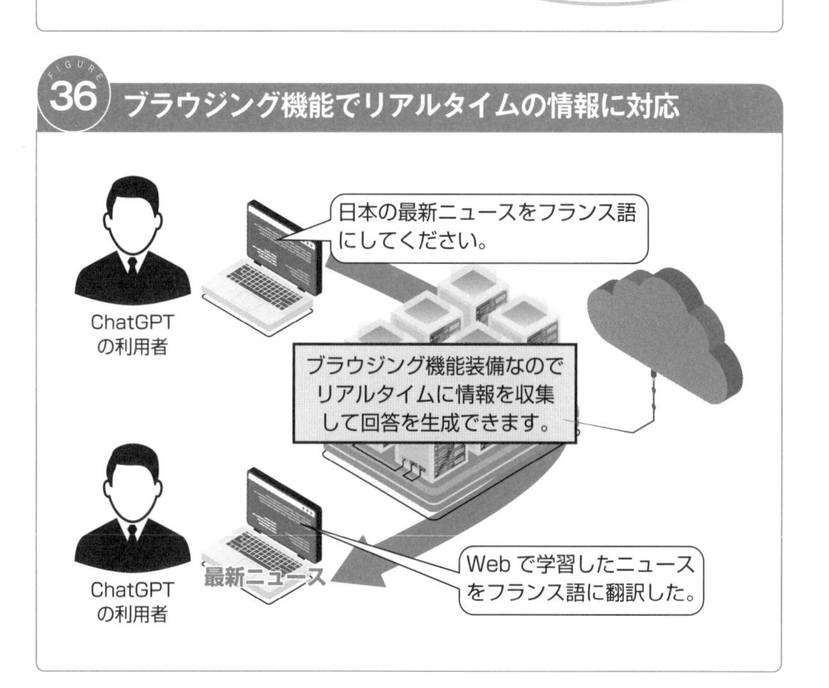
日本の最新ニュースをフランス語にしてください。
ChatGPTの利用者
ブラウジング機能装備なので
リアルタイムに情報を収集
して回答を生成できます。
ChatGPTの利用者
最新ニュース
Webで学習したニュース
をフランス語に翻訳した。

HTMLのプログラミングをさせてみたら

ChatGPTは特定の決まった形式がある言語での出力が得意。ユーザーに知識がなくても、自動でプログラミングができます。

1 GPT-4のプログラミング能力の進化

GPT-4はGPT-3.5と比べて大幅な進歩を遂げ、複雑なタスクに対応する能力が強化されました。特に、プログラミングにおいては、画像を入力としてコードを生成する能力が示されました。

具体的には、OpenAIのデモンストレーションでは、ウェブサイトの手書き図を写真で撮影し、その画像をGPT-4への**プロンプト**としてアップロードしたところ、GPT-4はその図にもとづく機能的なウェブサイトを作成するためのHTMLコードを生成しました。

2 GPT-4を活用したプログラミング

GPT-4を利用することで、まったくプログラミングの知識がないユーザーでも自然言語を使ってプログラミングをおこなうことが可能です。

たとえば、「スタイリッシュなWebサイトを作るためのHTMLコード」や「DiscordでChatGPTを動かすためのbotのコード」など、実現したい機能を伝えることで、いくつかの実装方法を提案してくれます。

出力されたプログラムがエラーを出したら、そのエラーを再度ChatGPTに入力しましょう。エラーを分析し、修正したコードを再出力してくれます。

FIGURE 37 一言で希望するHTMLコードを生成してくれた

TO スタイリッシュなWebサイトを作るためのHTMLコードを書いて

スタイリッシュなウェブサイトを作るためにはHTMLだけではなく、CSSやJavaScriptも活用することが一般的です。以下に基本的なHTMLとCSSの組み合わせの例を示します：

チョット頼んだら
アッという間にHTML
が作られました。

html

```html
<!DOCTYPE html>
<html lang="ja">
<head>
    <meta charset="UTF-8">
    <meta name="viewport" content="width=device-wid
    <title>スタイリッシュなウェブサイト</title>
    <style>
        body {
            background-color: #f0f0f0;
            font-family: Arial, sans-serif;
        }

        .header {
            background-color: #333;
            color: white;
            padding: 10px;
            text-align: center;
        }

        .main {
            margin: 15px;
            padding: 10px;
            background-color: white;
            border-radius: 5px;
```

簡単な希望を伝えると期待以上の文章を書いてくれる

ChatGPTがおこなうすべての作業の根本は「文章を書く」ことです。

1 ChatGPT の文章作成能力の最適化

ChatGPT は、人間のように思考する AI として設計されており、人間が理解できる文章を作成します。

ユーザーからのプロンプトに対する応答は、過去のインターネットテキストから学んだ情報にもとづいています。

しかし、これらの情報は具体的な事実を提供するものではなく、言葉や表現の使い方を学ぶためのものです。文章作成能力を最適化するためには、明確な指示と具体的な情報をプロンプトに含めることが重要です。また、より複雑な要求に対しては、複数の小さな要求に分けて提出すると効果的です。

2 ChatGPT の進化と文章作成能力の強化

GPT-3から GPT-4への進化は、文章作成能力の大幅な強化をもたらしました。

GPT-4は、最大25,000語の入力と出力テキストを処理でき、長文のコンテンツ作成や拡張された対話、文書の検索と分析が可能です。また、画像を入力として処理し、それにもとづくテキスト応答を生成もできるようになりました。さらに、安全性の強化により、GPT-4は不適切なコンテンツの生成を大幅に減らし、ユーザーの信頼性を向上させました。

FIGURE 38 希望を伝えるだけで文書ができる

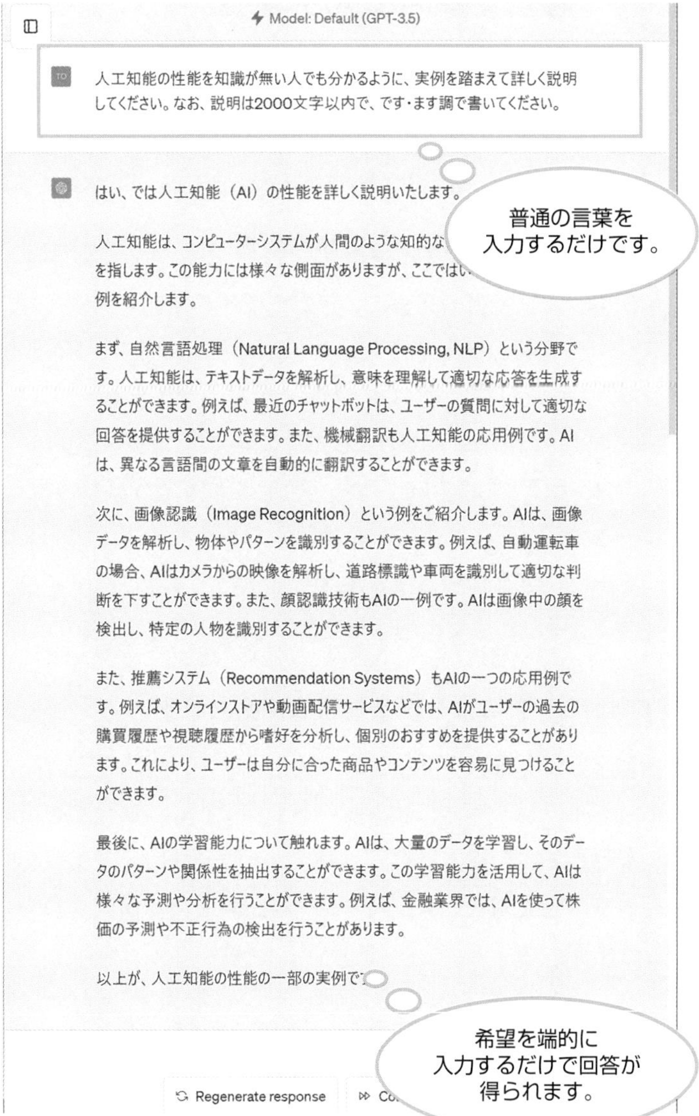

Model: Default (GPT-3.5)

人工知能の性能を知識が無い人でも分かるように、実例を踏まえて詳しく説明してください。なお、説明は2000文字以内で、です・ます調で書いてください。

はい、では人工知能（AI）の性能を詳しく説明いたします。

人工知能は、コンピューターシステムが人間のような知的な を指します。この能力には様々な側面がありますが、ここではい 例を紹介します。

まず、自然言語処理（Natural Language Processing, NLP）という分野です。人工知能は、テキストデータを解析し、意味を理解して適切な応答を生成することができます。例えば、最近のチャットボットは、ユーザーの質問に対して適切な回答を提供することができます。また、機械翻訳も人工知能の応用例です。AIは、異なる言語間の文章を自動的に翻訳することができます。

次に、画像認識（Image Recognition）という例をご紹介します。AIは、画像データを解析し、物体やパターンを識別することができます。例えば、自動運転車の場合、AIはカメラからの映像を解析し、道路標識や車両を識別して適切な判断を下すことができます。また、顔認識技術もAIの一例です。AIは画像中の顔を検出し、特定の人物を識別することができます。

また、推薦システム（Recommendation Systems）もAIの一つの応用例です。例えば、オンラインストアや動画配信サービスなどでは、AIがユーザーの過去の購買履歴や視聴履歴から嗜好を分析し、個別のおすすめを提供することがあります。これにより、ユーザーは自分に合った商品やコンテンツを容易に見つけることができます。

最後に、AIの学習能力について触れます。AIは、大量のデータを学習し、そのデータのパターンや関係性を抽出することができます。この学習能力を活用して、AIは様々な予測や分析を行うことができます。例えば、金融業界では、AIを使って株価の予測や不正行為の検出を行うことがあります。

以上が、人工知能の性能の一部の実例で

Regenerate response

普通の言葉を
入力するだけです。

希望を端的に
入力するだけで回答が
得られます。

1人では難しい文章の校正や修正が瞬時に完了する

ChatGPTはカジュアルな文体をフォーマルにしたり、誤字脱字を見つけて修正案を出したりといった作業が可能です。

1 ChatGPT を活用した文体の変換

文体の違いは、読者の印象に大きな影響を与えます。例えば、ビジネスシーンではフォーマルな文体が求められますが、SNS や友人とのメッセージなどではカジュアルな文体が適しています。ChatGPT は、ある文体から別の文体への変換を支援します。

特に、カジュアルな文体をフォーマルに変換する作業が得意です。ユーザーがカジュアルに書いた文章を入力すると、ChatGPT はそれをフォーマルな文体に変換した案を提示します。これにより、文体の変換に迷うことなく、適切な文書作成が可能となります。

2 ChatGPT による誤字脱字の検出と修正

誤字脱字は、文章のクオリティを大きく低下させる要因の一つです。ChatGPT は文章中の誤字脱字を見つけ出し、修正案を提示する能力を持っています。これにより、ユーザーは自分で文章を何度も読み返す手間を省き、より効率的に高品質な文章作成を進めることができます。

ChatGPT の提案はあくまで参考の一つであり、ユーザーが最終的な選択を行うことで、文章はより完成度を高めることが可能です。

FIGURE 39 誤字・脱字から文体まで修正した例

以降の文章の誤字・脱字をこうせいしてください。
ChatGPTを活用した文体の変換
分隊の違いは、読者の印証に大きな影響を与えます。例えば、ビジネスシーンではフォーマルな文体がもとめられますが、SNSや友人とのメッセージなどではカジュアルな文体が適しています。
ChatGPTは、ある文体から別の文体への返還を支援します。
特に、カジュアルな文体をフォーマルに変換する作業が得意です。
ユーザーがかジュアルに書いた文章を入力すると、ChatGPTはそれをフォーマルな文体に変換した案を提示します。これにより、文体の変換に迷うことなく、適切な文書作成が可能となります。

ご指定の文章を以下のように校正いたします：

「ChatGPTを活用した文体の変換」
文体の違いは、読者の印象に大きな影響を与え…
はフォーマルな文体が求められますが、SNSや友人とのメッセー…
ルな文体が適しています。
ChatGPTは、ある文体から別の文体への変換を支援します。
特に、カジュアルな文体をフォーマルに変換する作業が得意です。
ユーザーがカジュアルに書いた文章を入力すると、ChatGPTはそれをフォーマルな文体に変換した案を提示します。これにより、文体の変換に迷うことなく、適切な文書作成が可能となります。

【校正箇所】

- "分隊の違いは"→"文体の違いは"
- "読者の印証に"→"読者の印象に"
- "もとめられますが"→"求められますが"
- "ある文体から別の文体への返還を"→"ある文体から別の文体への変換を"
- "かジュアルに"→"カジュアルに"

Regenerate response

Send a message.

ChatGPT may produce inaccurate information about peop…

急いで入力したら
誤字や脱字が
多くありました。

タイプミスや誤字まで
校正して、訂正の意味まで説明してくれます。

面倒な文章の要約を要望どおりにしてくれる

ChatGPTを使えば、論文のような長い文章を簡潔に要約することができます。

1 ChatGPTによる長文の要約

情報があふれる現代社会において、多くの文書を効率的に把握するためには、要約技術が重要となります。ChatGPTは、論文などの長い文章を簡潔に要約する機能を有しています。

具体的には、文書の主要なポイントを抽出し、それらを短い文章にまとめ上げることが可能です。これにより、ユーザーは時間を節約し、必要な情報を効率的に取得することができます。

2 要約の品質を高めるためのヒント

ChatGPTの要約機能を最大限に活用するためには、以下の点を意識するとよいでしょう。まず、ChatGPTに要約を依頼する際には、文書の全体的な内容や重要な部分を明示的に示すことが有効です。また、要約の長さやスタイルについて具体的な指示を出すことも可能です。

例えば、「200語以内で要約してください」、「ビジネス向けに要約してください」などと指定すると、より具体的な要望に対応した要約を得ることができます。これらのアプローチにより、ChatGPTはより質の高い要約を提供することができます。

FIGURE 40 膨大な文章を希望通りに要約することができる

膨大な文章

リスクを恐れるあまり AI 利用に及び腰になるのも健全な態度とはいえません。リスクとしっかり向き合うことで、課題を克服しつつ AI の良い面を利用しやすくなります。いきなり「仕事に活かそう!」と意気込む必要はありません。特にChatGPT は無料で利用できますから、まずは「お試し程度に触れる」ことから始めてみてはいかがでしょうか。リスクを恐れるあまり AI 利用に及び腰になるのも健全な態度とはいえません。リスクとしっかり向き合うことで、課題を克服しつつ AI の良い面を利用しやすくなります。いきなり「仕事に活かそう!」と意気込む必要はありません。特に ChatGPT は無料で利用できますから、まずは「お試し程度に触れる」ことから始めてみてはいかがでしょうか。リスクを恐れるあまり AI 利用に及び

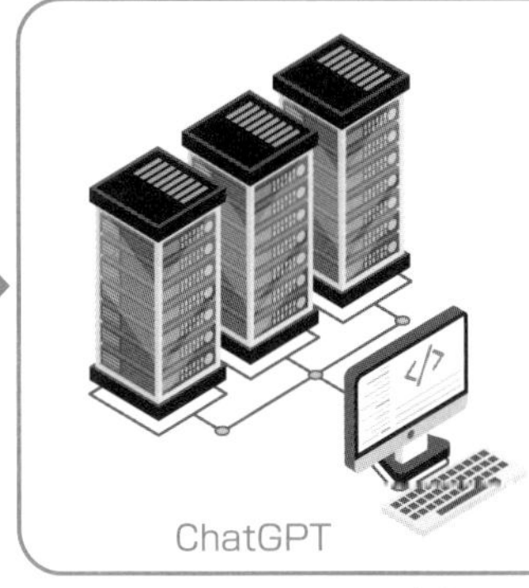

要約

膨大な企画資料から、議事録、上司への報告書、配布用の資料など、用途と書式を指定するだけで要約して作成してくれます。

議事録用に要約

リスクを恐れるあまり AI 利用に及び腰になるのも健全な態度とはいえません。リスクとしっかり向き合うことで、課題を克服しつつ AI の良い面を

ビジネス向けに要約

リスクを恐れるあまり AI 利用に及び腰になるのも健全な態度とはいえません。リスクとしっかり向き合うことで、課題を克服しつつ AI の良い面を

上司への報告用に要約

リスクを恐れるあまり AI 利用に及び腰になるのも健全な態度とはいえません。リスクとしっかり向き合うことで、課題を克服しつつ AI の良い面を

200 文字以内に要約

リスクを恐れるあまり AI 利用に及び腰になるのも健全な態度とはいえません。リスクとしっかり向き合うことで、課題を克服しつつ AI の良い面を

配布資料用に要約

リスクを恐れるあまり AI 利用に及び腰になるのも健全な態度とはいえません。リスクとしっかり向き合うことで、課題を克服しつつ AI の良い面を

与えられた役割にしたがって回答する

ライター、編集者、脚本家など、実行したい作業に応じた役割をChatGPTに演じさせることが可能です。

1 ChatGPTの役割演じ能力の活用

ChatGPTは、ユーザーが指定した役割にしたがって動作することが可能です。

例えば、"ライター"と指定すれば、新たな文章を生成し、"編集者"と指定すれば、提出された文章を改善する提案をおこないます。また、"脚本家"と指定すれば、登場人物の会話やストーリーラインを作り出します。このように、ChatGPTはあらゆる役割を適応的に演じることができ、ユーザーの要求に対して柔軟に対応します。

2 役割指定の際のポイント

ChatGPTに役割を指定する際は、具体的で明確な指示が有効です。例えば、「ライターとして、太陽エネルギーについての一般向けの記事を書いてください」や、「編集者として、このビジネスレポートの文体をもっとフォーマルに修正してください」といった具体的な要求を出すことが推奨されます。

これにより、ChatGPTはより正確にユーザーの期待に応える行動をとることができます。また、初めて役割を指定する際は、いくつかの試行をおこない、ChatGPTの反応を見ることも有益です。

FIGURE 41 プロンプトで与えられた役割に応じて回答する

・初歩的な操作方法

回答を要求
地球温暖化のことを教えてください。

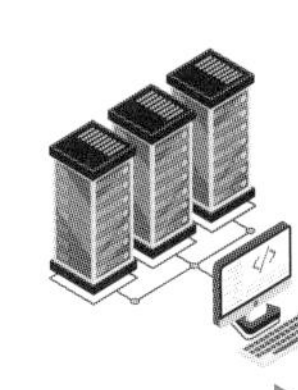

生成した回答を表示

普通の文章

回答を要求	役割を設定
地球温暖化のことを教えてください。	世界的な気象学者がジャーナリストの視点で分かりやすく説明してください。

ChatGPT

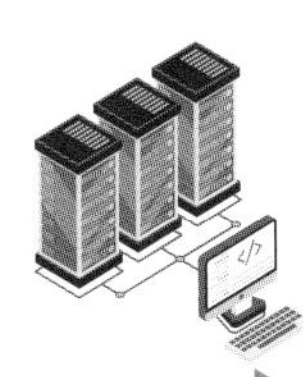

指定された役割に応じて最適な回答を生成して表示

本格的な文章

・本格的な操作方法

回答を要求	役割を設定	文章スタイルや読者のレベルなどを具体的に指定する
地球温暖化のことを教えてください。	世界的な気象学者がジャーナリストの視点で分かりやすく説明してください。	150文字以内で説明してください。

ChatGPT

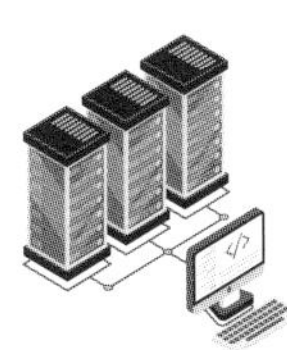

具体的な指示に応じた回答を生成して表示

専門家の文章

利用者の希望に応じて質問に答える

ChatGPTは作業の指示だけでなく、漠然とした質問にも回答できます。自分の考えを整理する壁打ち役にぴったりです。

1 ChatGPTの質問応答能力

ChatGPTはユーザーからの質問に対する回答生成が得意です。これは具体的な事実に関する質問だけでなく、抽象的な考えやアイデアについての質問に対しても有効です。

例えば、「太陽エネルギーの利点はなにですか？」といった具体的な質問に対しては、事実ベースの答えを提供します。

一方で、「私のビジネスアイデアはどう思いますか？」といった抽象的な質問に対しては、そのアイデアの可能性や問題点を分析し、フィードバックを提供します。

2 ChatGPTを壁打ち相手として活用する

ChatGPTは、思考の整理やアイデアの発展を助ける壁打ち役としても優れています。新しいアイデアや複雑な問題について考えているとき、それを言葉にすることで思考が整理され、新たな視点や解決策が見えてくることがあります。

ChatGPTに対して思考の進行形を話すことで、自分自身の理解を深めたり、新たな洞察を得ることが可能です。また、ChatGPTからのフィードバックは、新たな視点を提供してくれることでしょう。

FIGURE 42 具体的な質問から抽象的な質問まで対応可能

・具体的な質問の場合

「太陽エネルギーの利点はなにですか？」とChatGPTに具体的な質問をします。

GPT-4

すると詳しい回答を瞬時に返してくれます。

太陽エネルギーには多くの利点があります。
以下にいくつかを挙げてみます。

1. 再生可能な資源：太陽は自然に存在する無尽蔵なエネルギー源です。太陽光は地球全体に均等に分散され、常に利用可能な状態にあります。
以降も詳しい説明が続く…

・抽象的な質問の場合

「私のビジネスアイディアはどう思いますか？」とChatGPTに質問をします。

GPT-4

するとChatGPTは情報を得るための質問をしてきます。

もちろん、あなたのビジネスアイディアについてお聞きしたいと思います。具体的なアイディアや目標、それに対する具体的な疑問点などを教えていただけますか？
それを基に、できるだけ有益なフィードバックを提供するようにします。

ChatGPTを「API」でより自由に使う

OpenAIが発行しているGPTシリーズの「API」を使えば、活用の幅が広がります。ただしプログラミングの知識が必要です。

1 APIとはなにか?

API(Application Programming Interface)は、アプリケーション間で情報を交換するためのインターフェースです。

OpenAIはGPTシリーズのAPIを提供しており、これを使用することで、ユーザーは自身のアプリケーションやサービスにChatGPTを組み込むことが可能となります。これにより、文章生成、編集、要約、質問応答など、ChatGPTが持つ機能を自由に利用し、自身のニーズに合わせた形で活用することができます。

2 APIの利用に必要なプログラミング知識

ChatGPTのAPIを活用するには、プログラミングの基本的な知識が必要です。特に、HTTPリクエストの送受信やJSON形式のデータの扱いになれていることが求められます。また、Pythonなどのプログラミング言語での開発経験があると、APIの利用がスムーズになります。

APIを利用することで、ChatGPTを自分のアプリケーションやWebサイトに組み込み、ユーザーとのインタラクションを自由にカスタマイズすることが可能になります。

そのため、APIを利用してChatGPTを使うのは、少々ハードルが高いと言えるでしょう。

FIGURE 43 APIはアプリとアプリの間を取り持ちデータ交換をする仕組み

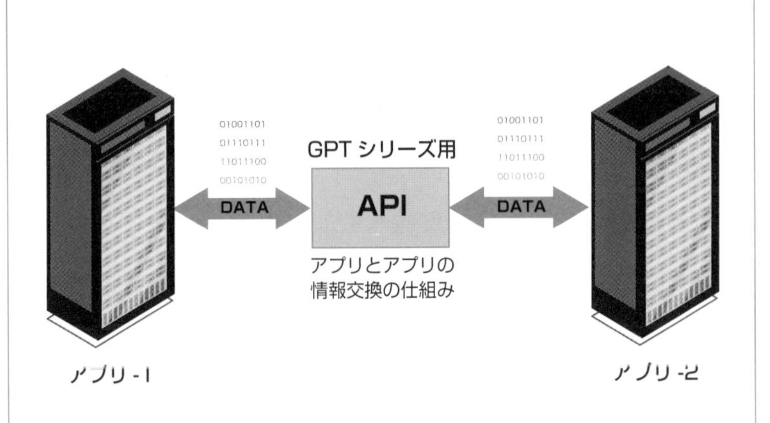

FIGURE 44 APIの利用例

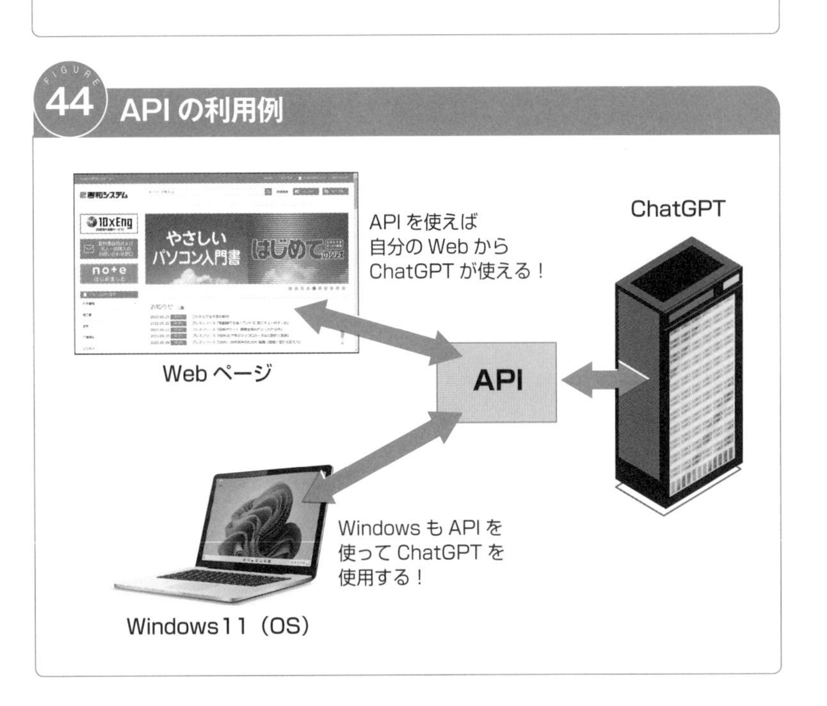

ChatGPTには できないこと・苦手なこと

ChatGPTは非常に優秀なAIツールですが、能力の限界もあります。現時点ではできないことや苦手なことを紹介します。

1 具体的な事象や最新情報への対応能力

ChatGPTは**機械学習**のプロセスにより訓練されており、その知識は訓練データ（2021年）までの情報に限定されます。つまり、訓練後に発生した最新の事象やトピックについては、直接的な情報を提供することができません。しかし、2023年5月12日以降、有料版（ChatGPT Plus）ユーザーにはWeb検索機能が開放されたため、リアルタイム情報にもアクセスできるようになりました。ただし、非公開情報や特定の個人の私的な情報については答えることができません。これらはプライバシーの観点からも重要な制限です。

2 感情や意識の理解

ChatGPTはまるで人間のように言葉を扱いますが、あくまで形態の模倣に過ぎません。ChatGPTは人間のように感情を持つわけではなく、自己意識を持つこともありません。それゆえに、人間の感情や意識の細かいニュアンスを完全に理解し、適切に反映することは苦手です。このため、感情的なサポートや深い精神的な問題についてのアドバイスを求める場合は、専門的な人間の支援を受けることをおすすめします。ChatGPTはあくまでツールであり、その使用は適切な目的と状況に応じておこなわれるべきです。

FIGURE 45 ChatGPT Plusはリアルタイム情報に対応できる

訓練データ

ChatGPT

2021年までのデータ

2021年以降の情報に
対応できない

無料版のChatGPTは
リアルタイムに
対応ができません。

※ChatGPT Plusは
2023年5月12日
以降リアルタイム
情報にアクセス可能

FIGURE 46 人間の感情は理解が難しい

怒っている人

営業スマイルで
対応しないと

人と人の場合、表情や声音
などで、相手の感情を読み
取ることができる

怒っている人

いつでも誰でも
同じ対応

文章に表現されていない
感情は読み取れない

やってはいけない「機密データ」の入力はしない

ChatGPTに入力されたデータはAIモデルの学習に使われます。社外秘など、機密性の高いデータの入力は避けましょう。

1 データの利用とプライバシー

ChatGPTを使用する際には、入力データがどのように扱われるか理解することが重要です。

OpenAI社は、ユーザーからの入力をAIモデルの改善と開発に使用することがあります。したがって、重要な個人情報や機密情報を入力することは推奨されません。これには、個人を特定できる情報（氏名、住所、電話番号など）や、業務上の秘密情報が含まれます。

2 機密情報の取り扱い

ChatGPTを利用する際には、情報セキュリティの観点から、機密情報を入力しないように注意が必要です。

企業の内部情報、顧客情報、特許情報など、他者に漏洩すべきでない情報をAIツールに入力することはリスクを伴います。もしChatGPTに何らかの情報を伝える必要がある場合でも、その情報が具体的すぎず、個人や企業を特定できない形であることを確認しましょう。

FIGURE 47 ChatGPTに個人情報を入れると学習に利用される可能性がある

個人情報は
AIに教えないように
しましょう。
利用者A
利用者B
氏名
住所
電話番号
業務情報
個人秘密
などを
ChatGPTに入力
入力された情報は
AIモデルの開発
に利用される
可能性もある！
利用者Bの情報で
学習した成果を
使って回答が生成
されている可能性
もある？

FIGURE 48 ChatGPTの利用ではセキュリティを常に意識する

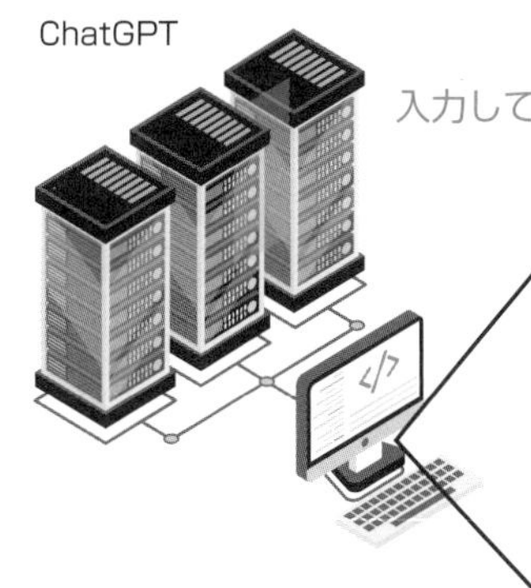

ChatGPT
入力してはいけない
会社の許可なく
情報をAIに与えては
いけません。
企業の内部情報
・顧客情報
・特許情報
・営業情報
・開発情報
・企画情報
・販売情報
・etc

信じてはいけない「ハルシネーション」の可能性

ChatGPTは、いかにも真実であるかのように誤った情報を回答する「ハルシネーション」を起こす可能性があります。

1 ハルシネーションとはなにか？

ChatGPTの「**ハルシネーション**」とは、AIが誤った情報を生成し、それが本当の情報であるかのように提示する現象を指します。

これは、「AIが事実を持っていない」ため、ユーザーからの質問に対して「最善の回答を生成しよう」とする過程で起こる可能性があります。

例えば、具体的な未来の予測や、訓練データに含まれない特定の情報について聞かれた場合、AIは「推測や仮定にもとづく答えを生成する」ことがあります。

2 ハルシネーションへの対処

ChatGPTから提供される情報は、必ずしも正確であるとは限りません。そのため、重要な意思決定をする際や、専門的な知識が必要な状況では、AIの答えを鵜呑みにせず、他の信頼できる情報源を確認することが重要です。

また、ChatGPTが提供する情報が不確かまたは不正確である可能性を理解し、それを考慮に入れて利用することが求められます。

FIGURE 49 ハルシネーションを続けて起こした例

2 気筒エンジンの点火プラグ本数を質問

TO BMW 製オートバイのR1200STのエンジンに必要なプラグは何本ですか？

BMW R1200STは、2本のプラグを使用しています。このモデルはツインシリンダーエンジンを搭載しており、各シリンダーに1本のプラグが取り付けられています。したがって、R1200STのエンジンには2本のプラグが必要です。

プラグは 2 本が必要とハルシネーションを起こした回答

TO R1200STのエンジンはツインスパークではないですか？

1 気筒にプラグが 2 本必要ではないかと追加の質問

おっしゃる通り、R1200STのエンジンはツインスパーク（Twin Spark）方式を採用しています。ツインスパーク方式では、各シリンダーに2本のプラグが設置されます。これにより、燃焼効率とパフォーマンスの向上が図られます。

したがって、BMW R1200STのエンジンには2本のプラグが搭載されており、各シリンダーに1本ずつプラグが設置されています。ツインスパーク方式は、点火効率の向上や燃料の完全燃焼を促すために採用されています。お詫びして混乱を招いた点についてお詫び申し上げます。

続けてハルシネーションを起こした回答

TO 各気筒に2本なら2気筒で4本が正解ではないですか

申し訳ありません、誤解を招く回答をしました。おっしゃる通り、BMW R1200STは2気筒エンジンであり、各気筒に2本のプラグが設置されています。したがって、正確な回答は、R1200STのエンジンには合計で4本のプラグが必要となります。再度混乱を招いたことについてお詫び申し上げます。

AIはまじめに
嘘を回答するので
注意が怠れません。

注意しなくてはいけない「著作権侵害」とオプトアウト

GPTシリーズの開発にあたり、OpenAI社がネット上の著作物を権利者の許諾なく使用したことが問題視されています。

1 オプトアウトと学習制限の設定

OpenAIは、GPTシリーズの訓練データの一部として利用されている可能性のある著作物の所有者が、そのデータの使用を希望しない場合、そのデータを**オプトアウト**（除外）するシステムを導入しています。

これにより、所有者の意向を尊重する一方で、AIの訓練に必要なデータの多様性を保つことが可能となりました。また、ユーザーはChatGPTの設定で、自分が入力した内容がAIの学習に使用されることを防ぐことも可能です。

2 著作権とAIの課題

著作権法は一般的には人間による創作活動を保護しますが、AIが生成するコンテンツの法的地位は、まだ明確ではありません。

AIの訓練データとして使用される著作物の著作権に対する配慮は、AI開発者にとって重要な課題となっています。現状では、AIが生成するコンテンツが著作権を侵害する可能性があるため、その使用は慎重におこなわれるべきです。

将来的には、この問題を解決するための新たな法的枠組みが必要となるかもしれません。

FIGURE 50 オプトアウトの例

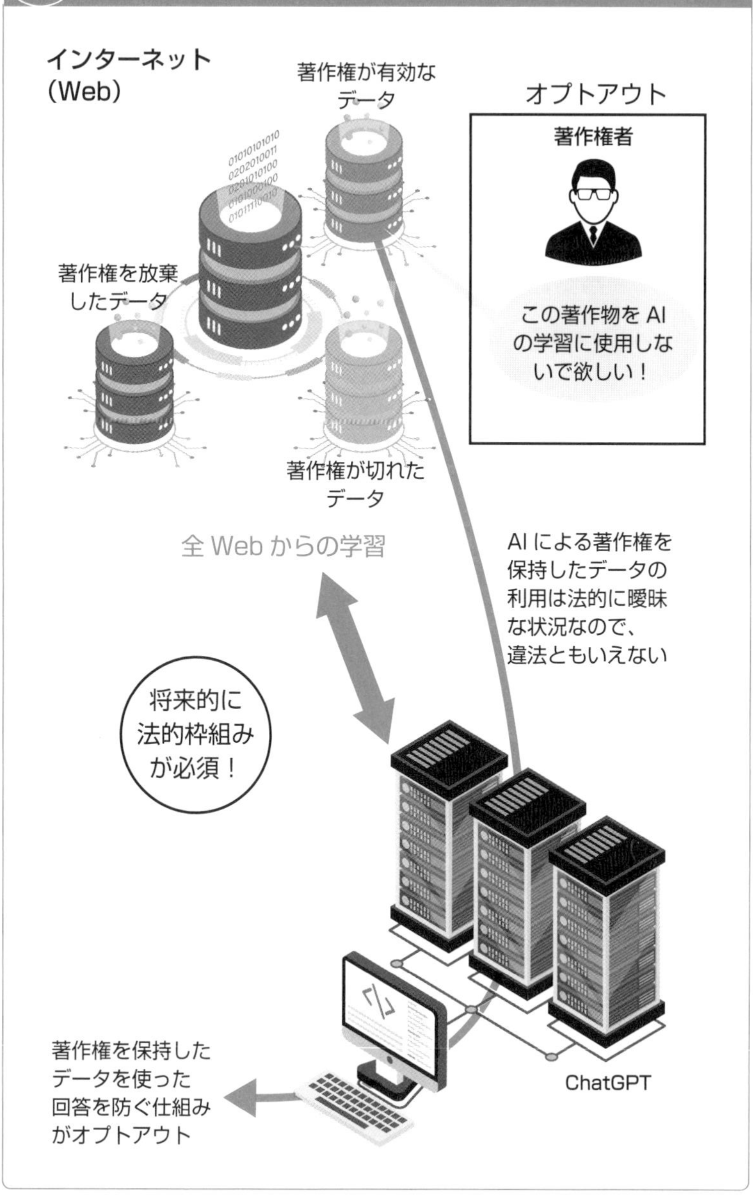

インターネット
(Web)
著作権が有効な
データ
オプトアウト
著作権者
この著作物を AI
の学習に使用しな
いで欲しい！
著作権を放棄
したデータ
著作権が切れた
データ
全 Web からの学習
AI による著作権を
保持したデータの
利用は法的に曖昧
な状況なので、
違法ともいえない
将来的に
法的枠組み
が必須！
著作権を保持した
データを使った
回答を防ぐ仕組み
がオプトアウト
ChatGPT

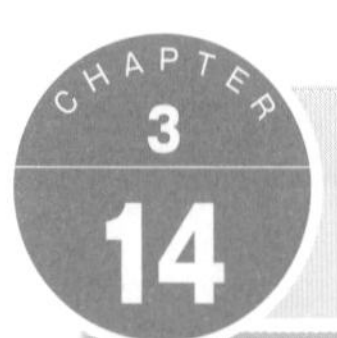

気付かないといけない「攻撃的・偏見」を含む回答

ChatGPTは攻撃的な回答や、潜在的な偏見を含んだ回答をおこなう可能性もわずかですがあります。

1 偏見を含む回答の問題性

ChatGPTは、その学習データに含まれるさまざまな観点や意見を反映します。これには、「偏見」や「ステレオタイプ」、または「公には受け入れられない意見」が含まれる可能性があります。

AIは前記を含む多様なデータから学習し、それをもとに回答を生成するので、その回答が間接的に、これらの偏見を反映することもあります。これは、AIが無意識のうちに「社会的な偏見を増幅させる」可能性があるという、重大な倫理的問題を引き起こします。

2 攻撃的な回答とその対策

ChatGPTはユーザーに対する攻撃的な言葉を避けるよう訓練されていますが、ときとして不適切な回答を生成することがあります。これは、学習データに含まれる攻撃的な表現やネガティブなトーンが影響していると考えられます。

OpenAIは、これらの問題に対処するためにAIモデルの調整と改善を続けています。

ユーザーは、適切でないと感じる回答に遭遇した場合、それを報告し、問題の改善に貢献することができます。

FIGURE 51 攻撃的・偏見が生まれる理由

インターネット（Web）

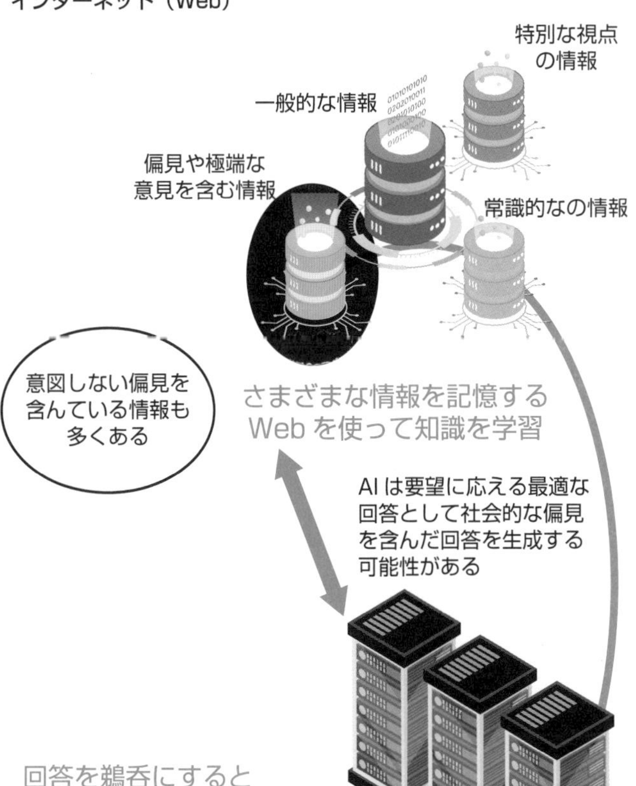
特別な視点
の情報
一般的な情報
偏見や極端な
意見を含む情報
常識的なの情報
意図しない偏見を
含んでいる情報も
多くある
さまざまな情報を記憶する
Web を使って知識を学習
AI は要望に応える最適な
回答として社会的な偏見
を含んだ回答を生成する
可能性がある
回答を鵜呑にすると
重大な倫理的問題
ChatGPT

Column

ChatGPTと後に続くAIの今後

OpenAI社がChatGPTをリリースしたことを皮切りに、多くの人がAIの便利さを知りました。単に「とても便利なAIが誰でも使えるようになった」というニュースだけでは考えられないような、盛り上がりを見せるAI界隈。OpenAI社を筆頭に、さまざまな企業、団体、国家が中心になって、今後もまだまだ活発な動きが見られそうです。

ブームの火つけ役とも言えるOpenAI社は23年5月、ChatGPTのスマホアプリをリリースしました。リリース当初はiOSかつ英語版のみでしたが、数日後すぐに日本版も公開。今のところスマホアプリ版ではプラグインとブラウジングが使えないものの、「音声入力」がデフォルト機能として使えるため、テキスト入力のみだったブラウザ版よりも汎用性は高いかもしれません。

また、日本国内での大規模言語モデル（LLM）開発もスタートしています。サイバーエージェント社は23年5月17日、日本語に特化したLLMを一般公開しました。これはパラメータ数68億と、現行の日本語LLMでは最大級の規模です。この日本語特化LLMを活用することで、ChatGPTの性能を超える日本語に特化した対話型AIが生まれるかもしれません。

海外では、すでに紹介したGoogleのBardは言わずもがな、FacebookやInstagramでおなじみのMetaが開発する「LLaMA（ラマ）」や、Stable Diffusionで有名なStabilityAI社の「StableLM」などが登場。OpenAIに続くAIラッシュの旗手になろうと、各社しのぎを削っています。

一方フランスやスペインはChatGPTに懸念表明、イタリアではChatGPTの使用禁止令が出る（現在はすでに解除）など、いかなる国でも諸手を挙げて歓迎ムードというわけではありません。

日本政府のように自主的に勉強会を開いたり、サム・アルトマン氏の訪問を受けたりといった歓待ムードのほうが珍しいのかもしれませんね。

いずれにせよ、歓迎一色も、非難一色も、どちらもバランスが悪いことに違いはありません。新たな技術の発展で得られる恩恵は素直に受けつつ、リスクも理解し動向に注視する目を持つことが求められるでしょう。

ChatGPTの使い方と応用

この章では、ChatGPTの具体的な使い方を説明します。しかし、ChatGPTには決まった利用法があるわけではありません。本章を手がかりに、あなたの仕事や生活に合った使い方を模索してみてください。

ChatGPTの基本的な使い方

まずはもっとも基本的なChatGPTの使い方から紹介します。

1 ChatGPTと会話する

「チャット」という名前のとおり、ChatGPTとのコミュニケーションの基本はテキストチャットです。まずは自由にChatGPTと会話をしてみましょう。

例えば、「あなたのことを教えてください」と尋ねれば、ChatGPTが簡単な自己紹介をしてくれます（図52）。ChatGPTはあくまでこちらの入力に応じて「もっともありそうな答え」を返すだけですが、まるで人間とチャットをしているような体験を味わうことができます。

2 タスクを指示する

ChatGPTは言葉で指示・出力できるタスクであれば、簡単な質問への回答から複雑な資料の作成まで、基本的にどんなタスクでも実行できます。

例えば、会議のアジェンダを作りたいときは「●●に関する会議のアジェンダを作ってください」と指示するだけでOKです。実施時間や議題があらかじめ決まっている場合は、それらの情報を加えることでより実用的な出力が得られるでしょう（図53）。

FIGURE 52 単純に会話をしてみる

あなたのことを教えてください

はい、私はChatGPTと呼ばれる大規模な言語モデルで、OpenAIによって… 然言語処理タスクを実行するために設計された人工知能の一種で… することができます。私は様々なトピックに関する知識を持ち、質問や… ります。私のトレーニングには大量のテキストデータが使用されており、これには書籍、… ニュース記事、雑誌、そして会話などが含まれます。

普通に質問するだけです。

FIGURE 53 具体的なタスクを指示してみる

新商品開発の会議のアジェンダを作ってください。会議時間は30分で、内容はブレインストーミングによるアイデア出しが中心です。その他の議題は最低限にしてください。

新商品開発の会議のアジェンダを以下に提案します：

1. 開会と挨拶
2. アイデア出しのルール説明
   - 批判や否定はせずに、どんなアイデアでも歓迎することを…
   - 他の人の意見を尊重することを説明
3. ブレインストーミングの開始
   - 参加者全員がアイデアを出し合う
   - 時間内にできるだけ多くのアイデアを出すことを目指す
4. アイデアのまとめ
   - アイデアをまとめて発表者が共有する
   - 他の参加者からのコメントやアイデアの追加を歓迎する
5. 次のステップの検討
   - まとめたアイデアをもとに、どのアイデアを採用するかを検討する
   - 次のステップを決定し、担当者を決定する
6. 閉会

以上が、30分の新商品開発会議のアジェンダの提案です。ブレインストーミングに集中するため、他の議題は最低限に抑えることが重要です。必要に応じて、次のステップに進む前にアイデアの優先順位を付けることもできます。

具体的な指示なら、詳細な回答を受けられます。

指示を整理して詳細にする ChatGPTをもっと「賢く」するアイデア①

「具体的で伝わりやすい指示」を出すことは、ChatGPT相手でもパフォーマンスを引き出すのに役立ちます。

1 ChatGPTへの指示は「伝わりやすさ」が肝心

ChatGPTにタスクを指示するためのテキストを「**プロンプト**」と呼びます。ChatGPTは適当に指示しても人間の意図をかなりの部分まで汲み取ってくれますが、よりよい出力を得るためには「具体的でシンプルなプロンプト」を考える必要があります。伝わりやすい指示を出すことが大切なのは、相手がAIであっても人であっても変わらないということですね。

2 伝わりやすいプロンプトは出力の質を上げる

例えば、「英文中の一部を日本語に翻訳する」タスクを考えてみましょう。

翻訳したい文中にそのまま指示を書いたプロンプト（図54）と、翻訳部分を抜き出し整理して指示したプロンプト（図55）を比べてみます。結果は明らかですね。図54では全文を翻訳してしまっていますが、図55ではしっかり翻訳したい部分だけを翻訳できています。極端な例ではありますが、うまくタスクが実行できないなと思ったら、プロンプトが十分具体的で簡潔かを見直してみるとよいでしょう。

ChatGPTはとても汎用性の高いAIツールですので、さまざまな作業をさせてみて、自分なりの活用法を探してみてもよいでしょう。

FIGURE 54 人間とチャットしているような体験

To Sherlock Holmes she is always _the_ woman. I have seldom heard him mention her under any other name. In his eyes she eclipses and predominates the whole of her sex. It was not that he felt any emotion akin to love for Irene Adler.ここだけ翻訳して「 All emotions, and that one particularly, were abhorrent to his cold, precise but admirably balanced mind.」He was, I take it, the most perfect reasoning and observing machine that the world has seen, but as a lover he would have placed himself in a false position.

シャーロック・ホームズにとって、彼女は常に「the womar
前で呼んだことはめったにない。彼女は彼の目には、女性
イリーン・アドラーに対して彼が愛情といった感情を抱いていたわけ　　　　　　　　　　の感情は、彼の冷静で正確かつ見事にバランスの取れた頭脳にとって忌まわしいものだった」と翻訳されます。彼はおそらく、世界で最も完璧な推理・観察マシンでありましたが、恋愛の世界に身を置くことは彼を誤った立場に置くことになるでしょう。

こちらの意図はうまく伝えないといけません。

FIGURE 55 具体的に指示する

以下の原文を読んで理解してください。その後、「翻訳箇所」に示す文章のみ日本語翻訳を出力してください。

原文：
To Sherlock Holmes she is always _the_ woman. I h　seld
mention her under any other name. In his eyes she
predominates the whole of her sex. It was not th
akin to love for Irene Adler. All emotions, and tha
were abhorrent to his cold, precise but admirably ba
was, I take it, the most perfect reasoning and observing mach
the world has seen, but as a lover he would have placed himself in a false position.

翻訳箇所：All emotions, and that one particularly,
were abhorrent to his cold, precise but admirably balanced mind.

出力：

すべての感情、そして特に愛情という感情は、彼の冷静で正確かつ非常にバランスの取れた心にとって忌まわしいものであった。

人と同じで意図をうまく伝えれば求めている回答が得られます。

出力形式を丁寧に指定する
ChatGPTをもっと「賢く」するアイデア②

「どんな情報がほしいか」を指定することで、ChatGPTの回答の質が上がります。

1 ChatGPTに「想像力」はない

ChatGPTになにかを尋ねても、ほしかった情報が含まれていないことがあります。そんなときは、どんな情報が必要かを**プロンプト**に含めてしまいましょう。

ChatGPTは人間のように言葉を使うため誤解しがちですが、ChatGPTは思考して回答しているわけではありません。「想像力」「暗黙の了解」といった要素を排し、具体的に出力形式を指定すると、思ったとおりの情報を得やすくなります（図56）。

2 必要な情報が分からないときはChatGPTに聞く

質問によってはどんな情報が必要か、人間側が分かっていないときもあるかもしれません。そんなときは、一般的に必要な情報がなにかをChatGPTに尋ねてみるとよいでしょう（図57）。

出力された情報をもとにプロンプトを再構成し、もともと聞きたかった質問をしてください。出力形式が定まり、より活用しやすい情報が手に入ります。

なお、ChatGPTは「マークダウン形式」や「テーブル形式」で回答を出力することも可能です。

FIGURE 56 具体的な出力形式を指示した例

ChatGPTを仕事に活かしやすい職種を3つ挙げてください。以下の形式に沿って出力してください。
##出力
・職業名：
・活用シーン：

・職業名：データアナリスト
・活用シーン：ChatGPTが持つ大量のデータを解析し、ビジ
できます。

・職業名：マーケティング担当者
・活用シーン：ChatGPTを活用して、市場調査や消費者分析、コンテン ができます。

・職業名：カスタマーサポート担当者
・活用シーン：ChatGPTを活用して、よりスムーズで効率的なカスタマーサポートを提供することができます。ChatGPTが持つ多言語対応能力を活かすことで、海外顧客へのサポートも可能です。

書式を伝えて回答を求めると意図したテキストが得られます。

FIGURE 57 分からないことはChatGPTに聞いてみた例

マーケティングのためのペルソナ設定時に必要となる項目はなんですか？

マーケティングのためのペルソナ設定には、以下のような項目が必要に

1. 年齢：ターゲットとする顧客層の年齢帯を把握する
2. 性別：男性・女性・その他など、性別によって興味や 要です。
3. 職業：顧客の職業や業種によって、彼らの課題やニーズが異なる場合があります。
4. 収入：顧客の収入によって、価格帯や支払い方法、商品やサービスの選択が異なる場合があります。
5. 家族構成：単身者、夫婦、子育て世帯、シングルマザーなど、家族構成によって商品やサービスのニーズが異なる場合があります。
6. 趣味・嗜好：趣味や嗜好によって、興味を持つ商品やサービスが異なる場合があります。
7. 消費行動：過去の購入履歴や購入のきっかけ、消費頻度、支払い方法など、消費行動を理解することが重要です。
8. 問題点・ニーズ：顧客が抱えている問題やニーズを理解することで、彼らにとって本当に必要な商品やサービスを提供することができます。
9. 市場における役割：業界において、顧客がどのような役割を担っているかを理解することが必要です。
10. 顧客接点：顧客が商品やサービスに接する場所や方法を理解することで、より効果的なマーケティング戦略を立てることができます。

知らないことをAIに伝えれば、AIから必要な情報が求められます。

回答例を加えて指示をする
ChatGPTをもっと「賢く」するアイデア③

ChatGPTにタスクの見本を見せることで、出力のレベルが近づきます。

1 やることが決まっているなら例を示すとよい

ChatGPTにタスクの実行例を示すと、ChatGPTが例をなぞって回答するため、出力の質が例示した内容に近くなります。

このテクニックは、すでに人間側にノウハウがある程度あり、かつルーチン的に繰り返す必要のあるタスクに特に役立ちます（図58）。例が複数あると、さらに近いパターンの出力が得やすくなるでしょう。

2 例を示すと複雑な論理展開もトレースできる

出力内容を例示するだけでなく、「どのように考えてその答えに至ったか」を例示することで、比較的複雑な論理展開が必要な出力にもChatGPTが正確に回答できるようになります。

人間が同じタスクをした成果物をより正確に再現したい場合、この方法が活用できるかもしれません（図59）。

ただし、ChatGPTに示した「例の論理」が誤っていた場合、ChatGPTも誤った論理をトレースしてしまう可能性があります。この手法を使う場合は、事前にロジックの正確さを確かめておきましょう。

58 「例」を示して目的の回答を得る

朝のツイ

Model: Plugins • Enabled plugins:

例に従って、企業公アカウントの朝の挨拶ツイートを3つ考えてください。
添付する画像も考えてください。ハッシュタグは不要です。

例：おはようございます！
最近は雨☂続きでスッキリしないお天気でしたが、今日は快晴☀です
ね。
こんな日はオフィス🏢をとびだして、公園でピクニックでもしたい気分❤
今日も１日よろしくお願いします！
［晴れた空の画像］

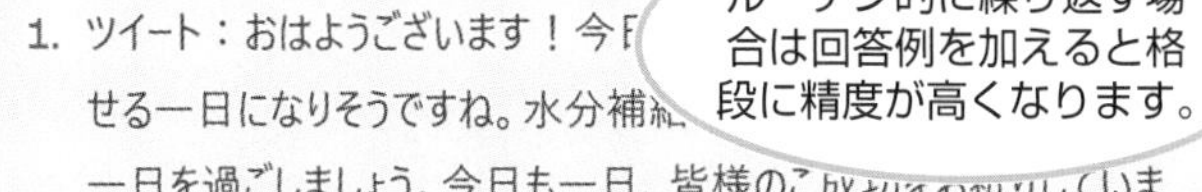

ルーチン的に繰り返す場
合は回答例を加えると格
段に精度が高くなります。

1. ツイート：おはようございます！今日
   せる一日になりそうですね。水分補給
   一日を過ごしましょう。今日も一日、皆様のご成功をお祈りしていま
   す！
   添付画像：夏のビーチの風景
2. ツイート：おはようございます！今朝は少し肌寒く感じますね。そんな
   日は、温かいコーヒー☕で一日をスタートさせてみてはいかがでしょう
   か？皆様の一日が素晴らしいものになりますように！
   添付画像：温かいコーヒーカップと本の静物写真
3. ツイート：おはようございます！今日は新しいプロジェクト📈のスタート
   日です。チーム全員で力を合わせて、成功に向けて一歩一歩進んで
   いきましょう。皆様の一日が充実したものになりますように！
   添付画像：チームが協力してプロジェクトを進めるイラスト

FIGURE 59 少し複雑な論理展開が必要な場合のプロンプト例

TO

Q.太郎君は1200円を持ってスーパーへ買い物に行きました。スーパーでは330円のジャガイモを1袋と、120円のニンジンを1本、100g 50円の豚肉を300g買いました。また、帰り道のコンビニで200円のアイスを買いました。太郎君の所持金の残りはいくらですか？

太郎君がスーパーで購入した商品の合計を計算してみましょう。

ジャガイモ：330円

ニンジン：120円

豚肉：50円/100gなので、300gで150円

そして、コンビニでのアイス：200円

これらを合計すると：

330円 + 120円 + 150円 + 200円 = 800円

そして、太郎君が持っていた1200円からこの合計金額を引きます：

1200円 - 800円 = 400円

つまり、太郎君の所持金の残りは400円です。

算数の文章題は
得意です。

FIGURE 60 少し複雑な論理展開が必要なプロンプトへの回答例

TO

Q.太郎君は1050円を持ってスーパーへ買い物に行きました。スーパーでは330円のジャガイモを1袋と、100g50円の豚肉を300g買いました。また、帰り道のコンビニで200円のアイスを買いました。太郎君の所持金の残りはいくらですか？

太郎君がスーパーで購入した商品の合計を計算してみましょう。

ジャガイモ：330円

豚肉：50円/100gなので、300gで150円

そして、コンビニでのアイス：200円

これらを合計すると：

330円 + 150円 + 200円 = 680円

そして、太郎君が持っていた1050円からこの合計金額を引きます：

段階的に問題を考えさせる ChatGPTをもっと「賢く」するアイデア④

段階的に考えるよう指示するだけでChatGPTの能力が大幅に向上します。

1 魔法の呪文「ステップバイステップ」

タスクの実行例を明示することができない場合でも、プロンプトに「**ステップバイステップ**で実行してください」または「段階的（論理的）に考えて」と加えるだけで、ChatGPTは自動的に推論から答えを出すことが可能です。

いくつかのタスクを連続的にこなさなければならないような場合でも、この言葉をプロンプトに加えれば例示なしでクオリティの高い出力が得られるため、覚えておくと非常に便利でしょう。

2 複雑な計算・文章作成に活用可能

先ほどの文章題を例に、魔法の呪文の威力を見てみましょう。先ほどは文章題をどのように解くか、考え方も含めて例示していました。今回は例を省き、代わりに「ステップバイステップで実行してください。」を加えただけですが、しっかり計算ができています（図61）。

この方法は図61のような計算タスクだけでなく、「英語のニュースを翻訳し、100字にまとめ、見出しを付ける」など一般的な文章作成タスクのクオリティ向上にも活用可能です。

FIGURE 61 ステップバイステップでの実行例

所持金残り370円

Model: GPT-4

TO ステップバイステップで実行してください。

Q.太郎君は1050円を持ってスーパーへ買い物に行きました。
スーパーでは330円のジャガイモを1袋と、100g50円の豚肉を300g買いました。
また、帰り道のコンビニで200円のアイスを買いました。
太郎君の所持金の残りはいくらですか？

A.

太郎君が購入したアイテムを一つずつ見ていきましょう。

1. 最初にスーパーで330円のジャガイモを1袋買いました。これにより、1050円から330円が減るので、所持金は720円になります。
2. 次に、100gあたり50円の豚肉を300g買いました。これは50円 * 3（300gは100gの3倍です）で150円になります。所持金720円から150円を引くと、残りは570円となります。
3. 最後に、帰り道のコンビニで200円のアイスを買いました。これにより、570円から200円が減るので、所持金は370円になります。

したがって、太郎君の所持金の残りは370円です。

ステップバイステップを加えるだけで回答の質が上がります。

生成 AI に役割を演じさせる
ChatGPTをもっと「賢く」するアイデア⑤

タスクに関わる分野のエキスパートを演じさせることで、ChatGPT の出力がよりよくなります。

1 ChatGPT はあらゆる分野のエキスパートになれる

特にプロフェッショナルな視点が求められるタスクの出力を改善するには、ChatGPT にその分野のエキスパートを演じさせるとよいでしょう。

例えば、新商品の競合分析なら「マーケター」、Web サイトの記事作成なら「ライター」など、ChatGPT が学習したテキスト中に存在している限り、ChatGPT は理論上あらゆる分野のエキスパートの思考を再現可能です。

例として「猫カフェ」に関するブログ記事のタイトルを ChatGPT に考えてもらいましょう。

シンプルに「猫カフェをテーマにしたブログ記事のタイトルを5つ考えてください。」と指示すると、実際にありそうですが微妙にテーマがフワッとしたタイトルが出力されました（図61）。

ここに「月間100万 PV を獲得する猫カフェ専門 Web メディアのプロライターとして、」という文言を加えてみましょう。

より Web メディアの記事としてテーマが絞りこまれたタイトルが出力されました（図62）。

FIGURE 62 単純にブログ記事を要望した場合

猫カフェをテーマにしたブログ記事のタイトルを5つ考えてください。

1. 「癒やしの空間！猫カフェの魅力に迫る」
2. 「猫好き必見！都内おすすめの猫カフェ5選」
3. 「猫カフェで過ごす贅沢なひととき」
4. 「ほっこり癒やされる猫カフェの雰囲気」
5. 「猫とのふれあいを楽しめる猫カフェの魅力」

普通のプロンプトで
悪くはありませんが、
面白くもない回答です。

FIGURE 63 希望するブログ記事のレベルを具体的に指示した場合

月間100万PVを獲得する猫カフェ専門Webメディアのプロライターとして、猫カフェをテーマにしたブログ記事のタイトルを5つ考えてください。

1. 「猫カフェ巡りのススメ：東京都内おすすめの店舗５選」
2. 「猫好き必見！猫カフェでしか出会えない個性豊かな猫たち」
3. 「猫カフェで癒やされる！猫と触れ合うことで得られる効果とは？」
4. 「猫カフェ初心者必見！猫との接し方やマナーについて」
5. 「猫カフェ巡りが趣味になる？人気のある猫カフェ巡りスタンプラリー」

レベル感を加えると回答
がまったく変わりました。

ベストプラクティスを使う
ChatGPTをもっと「賢く」するアイデア⑥

実行するタスクのベストプラクティスを回答させてから本番を指示すると、出力の質が上がります。

1 まず、「最善策」を回答させる

ChatGPTにタスクを指示する際、一発目から最終的な出力をさせるのではなく、まず最善の実行方法を回答させ、それからChatGPTが回答した最善手段に沿ってタスクを実行させてみましょう。ChatGPT自身が出力したベストプラクティスを下敷きに作業させることで、人間のプロンプトに不足している内容を補うことができるため、いきなり最終出力をさせた場合よりも出力の質が上がりやすくなります。この方法は「②出力形式を指定する」や「③例を示す」の応用ともいえるでしょう。

2 ノウハウが乏しい分野の作業に効果的

ベストプラクティスを回答させる手法は、人間側があまりその分野に精通していない場合に特に有効といえるでしょう。人間自身がエキスパートである場合、初めからプロンプトにベストプラクティスを組み込んでしまうほうが効率的です。

例えば、料理のレシピを考案するタスクをChatGPTにおこなわせる場合を考えてみましょう。ベストプラクティスを考えさせない場合（図64）と、ベストプラクティスを考えさせた場合（図65・66）を比べると、後者のほうがより具体的で質の高い出力になっていることがわかります。

FIGURE 64 ベストプラクティスを考えさせない場合の回答

TO 平日仕事後でも簡単に作れる料理のレシピを1つ教えてください。

もちろんです。ここに簡単で美味しい「ガーリックシュリンプ」のレシピをご紹介します。材料も手に入りやすく、調理時間も短いので、平日の夜でも手軽に作れます。

【材料】（2人分）

- エビ：10尾
- ニンニク：2片
- オリーブオイル：大さじ2
- 塩：少々
- 黒こしょう：少々
- パセリ（乾燥でも可）：適量

【手順】

1. エビは殻を剥き、背ワタを取り除きます。ニンニクはみじん切りにします。

普通の質問です。

FIGURE 65 ベストプラクティスを考えさせた場合の回答①

TO 平日仕事後でも簡単に作れる料理のレシピに必要な要素はなんですか？

平日の仕事後に簡単に作れる料理のレシピには、以下のような要素が重要となります。

1. **手軽な材料**：スーパーマーケットで簡単に手に入る、または家に常備しているような材料が良いです。また、材料の数が少ないほうが調理が簡単になります。
2. **短い調理時間**：平日の夜は時間が限られているため、調理時間が

以上の要素を考慮してレシピを選ぶと、平日の……しい料理を作ることができます。

3. **シンプルな調理手順**：複雑な手順

この一言でAIに
準備をさせています。

FIGURE 66 ベストプラクティスを考えさせた場合の回答②

TO 良いですね。それをもとに、平日仕事後でも簡単に作れる料理のレシピを１つ教えてください。

もちろんです。ここに「チキンと野菜のワンパン焼

す。材料はシンプルで、調理も焼くだけ

れます。

ベストプラクティスを引き出しています。

【材料】（2人分）

- 鶏もも肉：2枚
- じゃがいも：2個
- ニンジン：1本
- ブロッコリー：1株
- オリーブオイル：大さじ2
- 塩：適量
- 黒こしょう：適量
- ローズマリー（乾燥でも可）：適量

【手順】

1. 鶏もも肉は一口大に切ります。じゃがいもとニンジンは皮をむき、一口大に切ります。ブロッコリーは小房に分けます。
2. フライパンにオリーブオイルを熱し、鶏もも肉を炒めます。表面が白くなったら、じゃがいもとニンジンを加えて炒めます。
3. じゃがいもとニンジンが少し柔らかくなったら、ブロッコリーを加えてさらに炒めます。
4. 全ての材料が適度に炒まったら、塩、黒こしょう、ローズマリーで味を調えます。
5. フタをして弱火で5分ほど蒸し焼きにします。全ての材料が柔らかくなったら完成です。

不足する情報を質問させる
ChatGPTをもっと「賢く」するアイデア⑦

情報の不足により出力の質が落ちることを防ぐため、ChatGPT自身に不足情報を質問させましょう。

1 足りないものはChatGPTに教えてもらう

同じタスクを実行させたとしても、ChatGPTに与える情報が多いほど狙った出力を得やすくなります。しかし十分な情報を与えられているかを自分で判断するのは、なかなか難しいものです。この悩みを解消するために、ChatGPT自身にタスクを実行するのに必要な情報がそろっているかを質問してしまいましょう。情報が足りない場合はユーザーに質問するよう指示すれば、タスク実行前にChatGPTから「●●について教えてください」と必要情報を聞き返させることができます。

2 質問の回答をさらに質問してもOK

ChatGPTに不足情報を質問させる手法は、ユーザーから与えた情報にもとづいて分析や執筆をさせる場合に特に役立ちます。

例えば、自社商材のペルソナをChatGPTに提案させる場合を考えてみましょう。あえてほとんど情報を与えずに指示を出してみましたが、ChatGPTが必要と判断した情報をしっかり質問してくれました（図67）。このChatGPTの質問に答えると、本来のタスクを実行します（図68）。ChatGPTの質問に答えるのが難しい場合は、その項目について「なにが一般的か」を尋ねてみるとヒントが得られるかもしれません（図69）。

FIGURE 67 情報を与えずに出したプロンプトの例

TO 私が勤める企業の商材のペルソナを考えてください。ペルソナを考えるのに必要な情報が不足している場合、その情報について私に質問してください。

もちろん、ペルソナを作成するためにはいくつかの情報が必要です。以下にいくつか質問させていただきます。

1. あなたの企業が提供している具体的な商品やサービスは何ですか？
2. その商品やサービスの主要な利点や特性は何ですか？

FIGURE 68 情報を与えたプロンプトの例

TO ・商材：低価格かつ大容量のキャットフード
・顧客層：20〜30代の1人暮らしの会社員

ありがとうございます。それに基づいてペルソナを作成します。

このペルソナは一例であり、顧客の一部を表現している可能性があります。実際のマーケティングでは、複数のペルソナを作成し、それぞれに対するマーケティング戦略を検討することが一般的です。また、必要に応じてペルソナの詳細を調整することも可能です。

FIGURE 69 正確さを高めるためにヒントを求めた例

TO 商材は「低価格かつ大容量のキャットフード」です。顧客層は定まっていないため、商材に合わせた一般的な顧客層を教えてください。

「低価格かつ大容量のキャットフード」を求める一般的な顧客層は、以下のような特徴を持つ可能性があります：

1. **収入が限られている人々**：低価格の商品は、予算に制約のある人々にとって魅力的です。これには学生、初任給の若者、退職者、自営業者などが含まれるかもしれません。
2. **複数のペットを飼っている人々**：大容量のキャットフードは、複数の猫を飼っている家庭や、猫の保護施設などにとって魅力的です。

プロンプトエンジニアリングとは

ChatGPTへの指示文（プロンプト）を最適化し、より回答のクオリティを高める試みを「プロンプトエンジニアリング」と呼びます。

1 プロンプトエンジニアリングの重要性

プロンプトエンジニアリングは、AIの性能を最大限に引き出すための重要なスキルです。ChatGPTのようなAIは、ユーザーからの**指示文**（プロンプト）にもとづいて回答を生成します。そのため、プロンプトの質がAIの回答の質に直接影響を与えます。具体的には、プロンプトが明確で具体的であればあるほど、AIはより具体的で適切な回答を生成することが可能になります。逆に、プロンプトが曖昧または不明確であれば、AIの回答もそれに応じて曖昧または不明確になる可能性があります。

2 プロンプトエンジニアリングの実践

プロンプトエンジニアリングを実践するためには、まず具体的な目標を設定することが重要です。

例えば、AIに対して「なにか面白いことを教えて」という指示を出すと、AIはそのプロンプトをどのように解釈するかにより、さまざまな回答を生成する可能性があります。しかし、プロンプトが「科学の面白い事実を教えて」と具体的になると、AIの回答もそれに応じて具体的になります。

ChatGPTがGPT-4にアップデートされ性能が上がったことで、より端的な指示で十分なクオリティの回答が出力されるようになってきました。さらにプラグインやブラウジング機能が実装されたことで、ChatGPTでの作業にいわゆるプロンプトエンジニアリング的なノウハウが不要になってきています。

とはいえ、古典的なノウハウとして知っておくことで、今後さらに進化していくだろうAI利用に活用できるシーンがあるかもしれません。

FIGURE 70 プロンプト「科学が面白い事実を教えて」の回答

もちろんです。以下にいくつかの面白い科学的事実を挙げてみます。

1. 光の速さ: 光は1秒間に約30万キロ　トルを移動します。これは地球を7.5回巡る距離に相当します。
ちは星や他の銀河からの光を見る
2. 蜘蛛の糸: 蜘蛛の糸は非常に強く、
遜色ありません。しかし、その重さはスチールのほんの一部です。
3. バナナのDNA: 私たちのDNAはバナナと約50％一致しています。これ
物が共有する一部の基本的な生物学的

6. サメの歯: サメは一生の間に何千もの
に新しいものに置き換えられます。
7. 地球の重量: 地球の重量は約5,972,000,000,000,000,000,000,000キログラムです。この数値は地球の質量をキログラムで表したもので、地球の大きさと密度から計算されます。

会話と同じで具体的な言葉が重要になります。

以上のような科学の面白さは、我々が生きている世界を理解するための道具であり、これからも多くの驚きをもたらしてくれるでしょう。

いいにくい内容のビジネスメールを書かせる

ChatGPTを利用して、ビジネスメールの文面を考えてみましょう。

1 いいにくいことをChatGPTにいわせる

ビジネスメールといっても、なにも「●●をお願いします」「承知しました」といった普通の応答をChatGPTに任せるわけではありません。そのまま相手に伝えてしまうと不躾すぎるけれども、仕事上どうしてもいわなければならないこと。例えば､「成果物の催促」や「相手のミスの追及」「謝罪」など、失礼でなくかつ意図が伝わる微妙な言い回しが必要なメールを書きたいとき、ChatGPTを活用してみましょう。

2 相手のミスという難しい状況をAIに任せる

ここでは、例として「相手のミスを追及するメール」をChatGPTに書かせてみます。「発注した商品とは異なる商品が届いたので至急交換してほしい」というメールを書く場合、次のようなプロンプトが考えられます。

●プロンプトの例

以下の項目に従ってメール本文を書いてください。

```
## 用件
発注した商品とは異なる商品が届いたので至急交換してほしい
## 宛先
●●株式会社　▲▲様
## トーン
丁寧かつシンプルだが、こちらの困惑が伝わるようなトーン
## 出力
```

例のプロンプトへの回答例

件名: 商品交換のお願い

▲▲株式会社　担当者様

AIは客観的に作文してくれるのでこのような用途では重宝です。

お世話になっております。私、〇〇と申します。

この度は、先日発注した商品に関して重要な件がございます。誠に申し訳ありませんが、届いた商品が注文した商品とは異なるものであり、困惑しております。

私たちは、注文書に詳細な商品情報を記載し、その内容に基づいて商品を発注いたしました。しかしながら、届いた商品は予定していたものとは異なりました。この状況に深く心配しております。

大変お忙しいところ恐れ入りますが、至急商品の交換をお願い申し上げます。正しく注文した商品を必要としており、迅速な対応をお願いいたします。

商品の交換手続きや詳細につきましては、ご連絡いただいた際に改めて

瞬時にプレスリリースを書く

手作業で書くと意外と時間のかかるプレスリリースも、ChatGPTで効率よく作成できます。

1 プレスリリース作成の要点

プレスリリースは、新製品のリリースや会社の重要なお知らせなどを報道機関や一般の人々に伝えるための文章です。明確で簡潔な言葉で書かれ、必要な情報を含んでいることが重要です。プレスリリースを作成する際は、ニュースの本質、関連性、具体性、そして直接性を強調するように心掛けましょう。これらの要素は、記者や読者が記事を読み進めるための引き金となります。

2 プロンプトの例

例えば、新製品のリリースについてプレスリリースを作成する際のプロンプトは、「新製品「XYZ」のリリースについてのプレスリリースを作成してください。製品の主要な特性、ターゲット顧客、販売開始日、価格などを含めてください。」となるでしょう。

製品の特性やターゲット顧客などの情報は、社内で把握しているものを入力してください。これにより、ChatGPTは必要な情報を正確に記述したプレスリリースを生成します。

FIGURE 72 プレスリリース作成の例

新製品「XYZ」のリリースについてのプレスリリースを作成してください。
製品の主要な特性、ターゲット顧客、販売開始日、価格などを含めてください。

これだけの指示でプレスリリースを書いてくれました。

【プレスリリース】

新製品「XYZ」のリリースについて

弊社は、革新的な製品「XYZ」のリリースを誇りに思います。この製品は、最新の技術と先進的な機能を組み合わせた革新的なソリューションであり、顧客のニーズに合わせたユニークな機能を提供します。以下に、本製品の主要な特性、ターゲット顧客、販売開始日、価格などの詳細をご案内いたします。

主要な特性:

- 高度なXYZテクノロジーを搭載：「XYZ」は、革新的なXYZテクノロジーを採用しており、驚異的なパフォーマンスと高い信頼性を実現しています。これにより、顧客は優れた機能性と快適さを享受できます。
- ユーザーフレンドリーなインターフェース：「XYZ」は直感的で使いやすいインターフェースを備えており、操作性に優れています。初心者から上級者まで、幅広いユーザーが簡単に活用できます。
- 高解像度ディスプレイ：鮮明で魅力的な視覚体験を提供するために、高解像度ディスプレイを採用しています。ユーザーは、リアルな映像や美しいグラフィックスを楽しむことができます。

ターゲット顧客:
「XYZ」は、ビジネスプロフェッショナルやクリエイティブな個人、エンターテイメント愛好家など、幅広いターゲット顧客に向けて設計されています。高度な機能性と使いやすさにより、様々な目的やニーズに対応できる製品となっています。

販売開始日:
「XYZ」の販売は、公式ウェブサイトおよび選択された販売店にて、2023年7月1日より開始されます。顧客は、公式ウェブサイトでの事前予約や販売店への問い合わせを通じて、製品の入手をお申し込みいただけます。

価格:
「XYZ」の価格は、基本モデルが499ドル、上位モデルが699ドルとなります。お

楽して企画書を作るプロンプト

ChatGPTを使えば、新商品やサービスなどの企画書を短時間で作ることも可能です。

1 企画書作成のポイント

企画書を作るときのポイントは、その内容が誰にでも理解でき、かつ具体的であることです。

目的、ターゲット、期待する効果、必要なリソース、スケジュールなど、企画の全体像を詳細に説明しましょう。そして、それらの要素を明確に提示するためのよいプロンプトをChatGPTに与えることが重要です。

2 プロンプトの例

例えば、「新商品のローンチ企画書を作成してください。商品名は "XYZ" で、主なターゲットは20代と30代の女性、主な販売チャンネルはオンラインストアです。」のように具体的に指示すると、ChatGPTはその情報をもとに企画書を生成します。

さらに詳細を求める場合は、「商品の主な特長や販売戦略、予想される売上目標などについても詳細に書いてください。」と追加するとよいでしょう。

FIGURE 73 具体的なプロンプトで作成した企画書の例

【ローンチ企画書】

短いプロンプトでも要素に漏れが無ければ企画書も簡単にでき上がります。

商品名: XYZ

1. プロジェクトの概要
   「XYZ」は、20代と30代の女性をターゲットにした新商品です。この商品は、彼女たちの日常生活を豊かにするための革新的な特長を備えています。本企画書では、商品の特長や販売戦略、予想される売上目標などを詳細に説明します。
2. 商品の特長

- スタイリッシュなデザインと高品質素材:「XYZ」は、洗練されたスタイルと耐久性のある素材を組み合わせた製品です。女性の美意識に合わせたデザインと優れた品質により、顧客に高い満足度を提供します。
- 機能性と快適さ:「XYZ」は、利便性と快適性を追求した機能を備えています。便利な収納スペースや使いやすい操作インターフェースなど、日常生活をサポートする機能が豊富に備わっています。
- 最新の技術と先進的な機能:「XYZ」は、最新の技術を活用した先進的な機能を提供します。顧客は、高速充電やスマートな接続性などの優れた機能によって、より便利に生活を楽しむことができます。

3. 販売戦略

- ターゲット顧客の理解: 主なターゲットである20代と30代の女性のニーズや嗜好について深く理解し、それに基づいて商品を開発しました。彼女たちの日常生活をサポートするための機能やデザインに注力しました。
- オンラインストアを中心とした販売チャンネル: オンラインストアを主要な販売チャンネルとして活用します。顧客は、簡単なクリック操作で「XYZ」を購入できる便利さを享受できます。
- マーケティングキャンペーンの展開: ソーシャルメディア広告、インフルエンサーのコラボレーション、デジタルコンテンツの配信など、幅広いマーケティングキャンペーンを展開します。これにより、ターゲット顧客に商品の魅力を伝え、購買意

プレゼンテーション資料の構成を作る

ChatGPTでスライドは作れませんが、各スライドにどんな内容を書くかというたたき台を作ることができます。

1 プレゼンテーション資料構成のポイント

プレゼンテーションの資料構成では、視覚的に情報を整理し、聞き手が理解しやすいように設計することが重要です。たとえば、「導入」「本論」「結論」の3部構成でプレゼンテーションを作る場合を考えてみましょう。導入部では、話の背景や目的を明示し、本論部では、その目的にもとづく詳細な議論やデータを提示します。

結論部では、全体のまとめや次のステップを述べます。これらの各セクションに対する要点やキーメッセージをChatGPTに与えると、具体的な内容を生成するのに役立ちます。

2 プロンプトの例

例えば、「新商品XYZのプレゼンテーション資料の構成を作成してください。商品の特性、ターゲット市場、販売戦略について述べたいです。」というプロンプトを使用すると、ChatGPTはそれにもとづいた詳細なプレゼンテーションのフレームワークを提供します。

プレスリリース作成時と同様に、社内で把握している情報があるなら、あらかじめ入力してください。

FIGURE 74 プレゼンテーション資料の構成を回答させた例

【プレゼンテーション資料構成】

I. はじめに
A. プレゼンテーションの目的
B. XYZの導入の背景

II. XYZの特性
A. デザインと品質
1. スタイリッシュなデザイン
2. 高品質素材の使用

B. 機能性と快適さ
1. 利便性を追求した機能
2. 快適な使用体験

C. 最新の技術と先進的な機能

2. 顧客の利便性とアクセス性の向上

B. マーケティングキャンペーンの展開
1. ソーシャルメディア広告
2. インフルエンサーのコラボレーション
3. デジタルコンテンツの配信

V. 成果と目標
A. 売上目標の設定
B. ターゲット市場での需要予測
C. XYZの競争優位性

VI. まとめ
A. XYZの特長とターゲット市場への適合性
B. 販売戦略の概要と目標の再確認
C. 質疑応答

数行のプロンプトでプレゼンテーションの骨格を書いてくれました。

英語を日本語に翻訳する

ChatGPTはある言語からある言語への翻訳が可能です。海外の最新ニュースなどが自分で読めるようになります。

1 ChatGPTと言語翻訳

ChatGPTは、多数の言語間で翻訳をおこなう能力を持っています。そのため、英語から日本語へ（または、その逆）の翻訳が可能です。もちろん、その他の言語間での翻訳もできます。しかしながら、翻訳はあくまでAIによるものなので、文化的なニュアンスや特定の専門的な表現を完全に正確に翻訳するのは難しいかもしれません。ChatGPTによる翻訳結果は、一般的な理解を助けるものであると捉え、専門的な翻訳が必要な場合には専門の翻訳者に依頼することをおすすめします。

2 英語から日本語への翻訳例

たとえば、ChatGPTにシェイクスピアの「ハムレット」を翻訳させてみましょう。"To be, or not to be…"で始まる有名な一節を「シェイクスピアの悲劇のように日本語に翻訳してください」と指示すると、右図のように翻訳されます。

FIGURE 75 翻訳のプロンプトに方言を加えた例

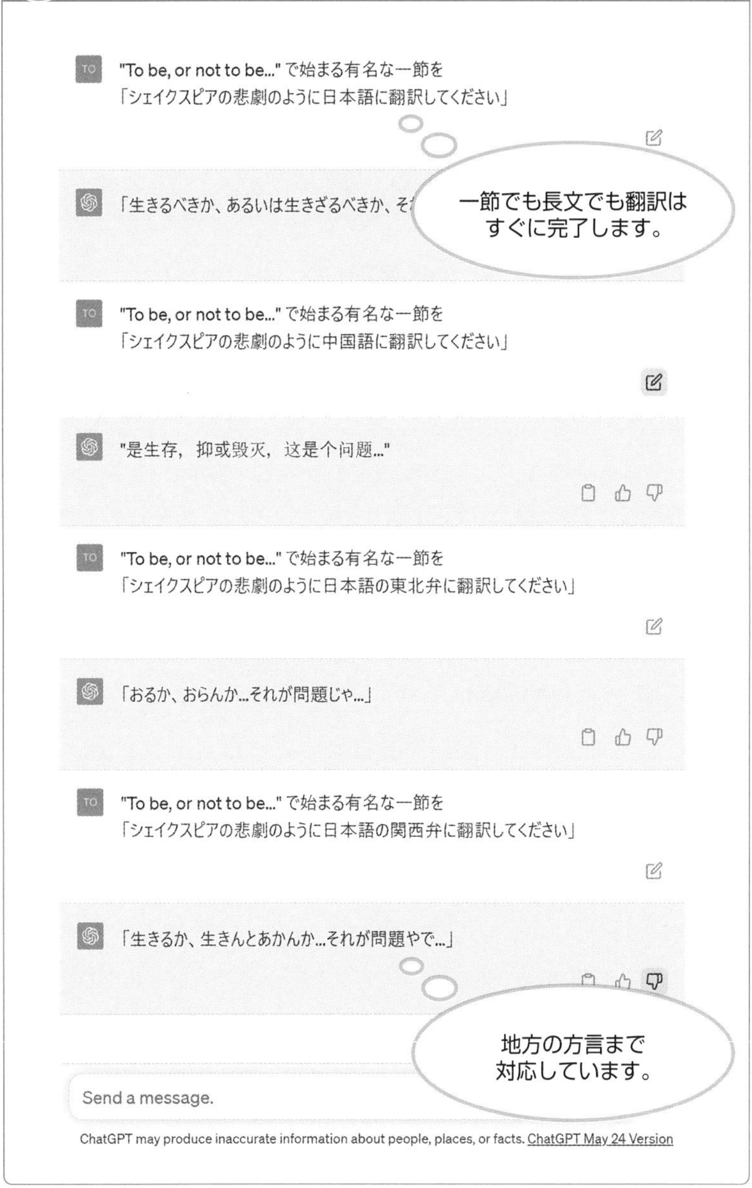

"To be, or not to be..." で始まる有名な一節を
「シェイクスピアの悲劇のように日本語に翻訳してください」

「生きるべきか、あるいは生きざるべきか、そ

"To be, or not to be..." で始まる有名な一節を
「シェイクスピアの悲劇のように中国語に翻訳してください」

"是生存，抑或毁灭，这是个问题..."

"To be, or not to be..." で始まる有名な一節を
「シェイクスピアの悲劇のように日本語の東北弁に翻訳してください」

「おるか、おらんか...それが問題じゃ...」

"To be, or not to be..." で始まる有名な一節を
「シェイクスピアの悲劇のように日本語の関西弁に翻訳してください」

「生きるか、生きんとあかんか...それが問題やで...」

Send a message.

ChatGPT may produce inaccurate information about people, places, or facts. ChatGPT May 24 Version

一節でも長文でも翻訳は
すぐに完了します。

地方の方言まで
対応しています。

ニュースを簡単に要約して時間を効率的に使う

ニュースが長くて読みにくいときや全部読む時間がないときなどは、ChatGPTに簡単にまとめてもらいましょう。

1 ChatGPTとニュース要約

ChatGPTは、長いニュース記事を短い要約に縮める機能を持っています。これにより、読者は情報を迅速に消化し、多くの記事を効率的に読むことができます。ただし、AIによる要約では必ずしもすべての詳細やニュアンスが保持されるわけではありません。そのため、記事の全容を把握するためには、完全な記事を読むことが最善です。しかしながら、時間が限られている場合や、記事の概要を把握したい場合には、ChatGPTによる要約はとても便利です。

2 ニュース要約の例

例えば、「このニュース記事を要約してください」と指示して、記事のテキストを提供すると、ChatGPTはその記事の主要なポイントを抽出し、短い要約を提供します。

例えば、政治的な話題、新しい科学的発見、経済の動向など、さまざまなトピックに対応しています。また、**プラグイン**＊やブラウジング機能を使えば、指定したURLからWebページの内容を読み取り、要約作業を実行することも可能です。

＊ **プラグイン**　具体的な機能や使い方は6章を参照。

FIGURE 76 ChatGPT plusでプラグインを使ってWebニュースを要約した

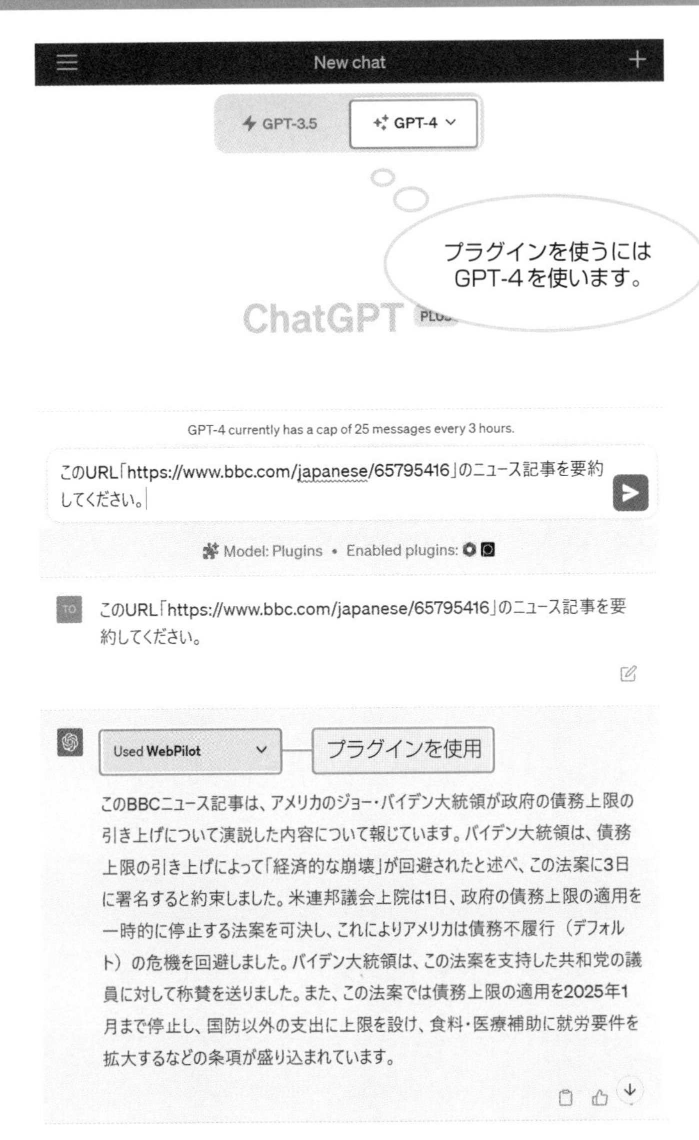

New chat
GPT-3.5
GPT-4
プラグインを使うには
GPT-4を使います。
ChatGPT
GPT-4 currently has a cap of 25 messages every 3 hours.
このURL「https://www.bbc.com/japanese/65795416」のニュース記事を要約してください。
Model: Plugins • Enabled plugins:
TO
このURL「https://www.bbc.com/japanese/65795416」のニュース記事を要約してください。
Used WebPilot
プラグインを使用
このBBCニュース記事は、アメリカのジョー・バイデン大統領が政府の債務上限の引き上げについて演説した内容について報じています。バイデン大統領は、債務上限の引き上げによって「経済的な崩壊」が回避されたと述べ、この法案に3日に署名すると約束しました。米連邦議会上院は1日、政府の債務上限の適用を一時的に停止する法案を可決し、これによりアメリカは債務不履行（デフォルト）の危機を回避しました。バイデン大統領は、この法案を支持した共和党の議員に対して称賛を送りました。また、この法案では債務上限の適用を2025年1月まで停止し、国防以外の支出に上限を設け、食料・医療補助に就労要件を拡大するなどの条項が盛り込まれています。

CHAPTER 4

16 Excel の関数や使い方はAI が解決してくれる

いちいち検索しなくても、ChatGPTに実現したい条件を伝えれば自動でExcel関数を組むことができます。

1 ChatGPT と Excel 関数

ChatGPT は、ユーザーが指定した要件を満たす「**Excel**」や「Google スプレッドシート」の関数を組み立てることが可能です。具体的な目的を述べれば、それに合った関数を提供できます。例えば、「平均値を計算する関数は？」や「特定の列で最大値を見つける関数は？」などの質問に対して、それぞれ「AVERAGE（範囲）」や「MAX（範囲）」といった形で適切な関数を提示します。

2 Excel 関数の作成例

ある列で最大の値を見つけるための関数を求めるためには、ChatGPT に「Excel で、あるセルに入力されている氏名を姓と名に分ける関数を教えてください。」とたずねます。すると、それに対して「Excel で氏名を姓と名に分けるためには、通常は以下の手順にしたがいます。1. 姓と名を分けるための別々のセルを…」といった回答を得ることができます（完全な回答は、図75を参照）。

ほかにも ChatGPT はさまざまな Excel 関数を提示することが可能です。

関数の機能そのものを質問するだけでなく、「こんな作業がしたい」という希望を伝えて適切な関数を提案させることも可能です。

FIGURE 77 Excelの操作解説と関数の詳しい説明を回答した例

Excelで氏名を姓と名に分けるためには、以下の手順に従ってください。

1. 姓と名を分けるための列を用意します。例えば、氏名が"A2"に入力されている場合、姓を"B2"に、名を"C2"に表示するとします。
2. 姓の取得には、以下の関数を使用します。

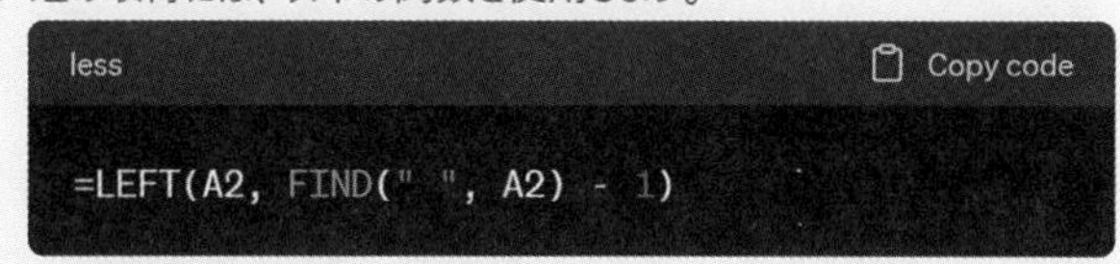

```less
=LEFT(A2, FIND(" ", A2) - 1)
```

この関数は、氏名の中で最初にスペー…を取得します。左側の文字列を取…用し、`FIND`関数でスペースの位置…

関数の書式が表示されます。

3. 名の取得には、以下の関数を使用します。

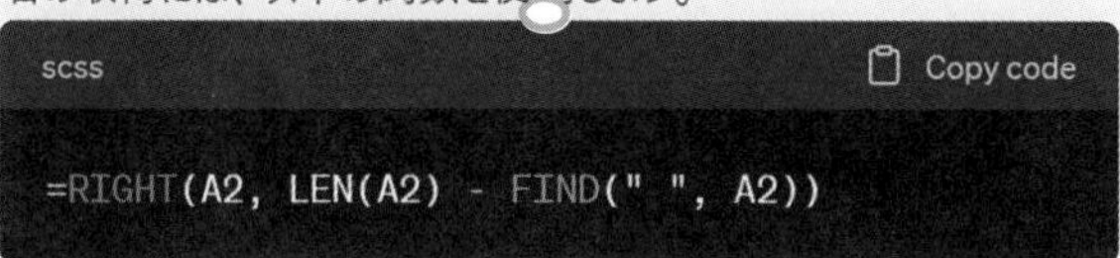

```scss
=RIGHT(A2, LEN(A2) - FIND(" ", A2))
```

この関数は、氏名の中で最初にスペースが現れる位置以降の文字列を取得します。右側の文字列を取得するために、`RIGHT`関数を使用し、`FIND`関数でスペースの位置を検索します。また、`LEN`関数を使用して氏名の長さを取得し、スペースの位置からの文字数を計算します。

4. 上記の関数をそれぞれのセルに入力し、氏名が自動的に姓と名に分けられるはずです。

例えば、A2セルに"田中 太郎"と入力されている場合、B2セルには"田中"が、C2セルには"太郎"が表示されるはずです。

短いメモだけで形式に沿った議事録が簡単に作れる

会議中にとった短いメモをもとに、ChatGPTでしっかりとした議事録に直しましょう。

1 ChatGPT と議事録の作成

ChatGPT は、書かれたメモやノートを形式に沿った議事録に整理するために使用することができます。短いメモから会議のキーポイント、実際におこなうべき作業、決定事項までを明確に洗い出し、それらを整理し、適切なフォーマットに合わせます。ChatGPT に議事録をまとめさせることで、時間が節約できるだけでなく、議事録作成の一貫性と正確さも向上させます。

2 議事録作成の例

例えば、次のような簡単なメモがあったとしましょう。「田中が新プロジェクトのリーダーに。次回会議は5/25。新商品の発売は6月初旬に。」これを ChatGPT に入力し、「これを議事録のフォーマットにまとめてください」と指示すると、ChatGPT は以下のような文を生成します。「1. 新プロジェクトのリーダーとして田中氏が任命されました。2. 次回の会議は5月25日に開催予定です。3. 新商品の発売は6月初旬を予定しています。」

テーブル形式やマークダウン形式など、特定のフォーマットを指定してもよいでしょう。社内的に議事録に含めるべき項目が決まっているのであれば、プロンプトで、それらを出力するよう指定してください。

FIGURE 78 **メモだけで、議事録が作れた**

TO

「田中が新プロジェクトのリーダーに。次回会議は5/25。新商品の発売は6月初旬に。」
これを議事録のフォーマットにまとめてください

短いメモでも必要事項に漏れが無ければ議事録を書いてくれます。

議事録

日付: 2023年5月25日

出席者:

- 田中 (新プロジェクトのリーダー)
- その他の関係者

議題:

1. 新プロジェクトのリーダーについて
2. 次回会議の日程
3. 新商品の発売時期について

議事内容:

1. 新プロジェクトのリーダーについて
   - 田中が新プロジェクトのリーダーに任命されました。
2. 次回会議の日程
   - 次回の会議は2023年5月25日に開催されます。
3. 新商品の発売時期について
   - 新商品の発売は6月初旬を予定しています。

以上が本日の議事録です。次回会議までに各自が担当するタスクの進捗を確認し、新商品の発売に向けて必要な準備を進めてください。

ビジネスで使えるツイートを作る

意外と時間がかかる企業公式Twitterのツイート作りを、ChatGPTで効率化してみましょう。

1 ChatGPT でのツイート作成

ChatGPT は、特定の主題や意図にもとづいてツイートを作成するのに役立ちます。キャンペーンのアナウンス、新製品の発表、企業の重要な更新など、目的に合わせたテキストを生成します。そして、Twitter の文字制限（無料版は半角280字・有料版は半角4,000字）に合わせて、内容を簡潔かつ効果的に伝えます。ChatGPT は、鮮やかな表現や引き込むような言葉づかいを用いることで、フォロワーの注目を集めるのにも役立ちます。

2 ツイート作成の例

例えば、スマートフォンの新製品の発表を伝えるツイートを作成したい場合、ChatGPT に「新しいスマートフォンの発表を伝えるためのエキサイティングなツイートを作成してください」と入力します。

ChatGPT の回答は、たとえば次のようになります。「待望の新製品情報がここに！ 最先端テクノロジーを搭載した私たちの新しいスマートフォンが登場します。これまでにない体験をお届けするためにデザインされました。詳細は近日公開！ #新製品 #テクノロジー」

FIGURE 79 簡単な指示（プロンプト）でツイートの文章ができる

Model: Default (GPT-3.5)

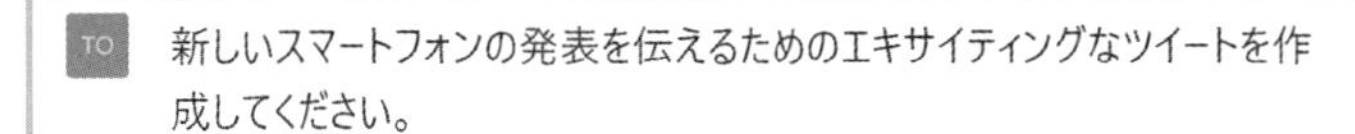

TO 新しいスマートフォンの発表を伝えるためのエキサイティングなツイートを作成してください。

「待ちに待った瞬間がやってきました！新しいスマートフォンがついに登場！驚きの機能とパフォーマンス、そして美しいデザインが詰まったこの進化したデバイスは、あなたの生活を一変させること間違いなし！最先端のテクノロジーが、あなたの手の中で未来を実現します。さあ、未知の世界への扉を開けましょう！#新スマホ発表 #テクノロジー革命」

TO 初心者にも分かりやすいChatGPT最新解説書発売を伝えるための興味を引くツイートを作成してください。

「AIの知識の扉が開かれる！待望のChatGPT最新解説書がついに発売！初心者でも分かりやすく、鮮やかな言語モデルの世界へ案内します！自然な対話や創造的な文章作成、情報検索まで、あらゆる面であなたの頼れる相棒となること間違いなし！AIの未来に触れ、知識を広げる旅に出かけましょう！#ChatGPT解説書発売 #AIの新たなフロンティア」

ビジネスのツイートは、
伝えることが明確なので
AIに向いています。

Send a message.

ChatGPT may produce inaccurate information about people, places, or facts. ChatGPT May 24

仕事で使うFacebookの投稿を作る

ツイートと同じく、Facebook（フェイスブック）の投稿もChatGPTで効率化してみましょう。

1 ChatGPTでのFacebook投稿の作成

ChatGPTはあなたのFacebook投稿も助けることができます。Facebookは、情報を共有し、会話を刺激するための豊富なスペースを提供しています。ChatGPTは、それに合わせて詳細かつ魅力的な投稿を作成することができます。新製品の発表、イベントの告知、重要なアップデートなど、具体的な目的に応じたテキストを生成します。

2 Facebook投稿作成の例

例えば、新たなコーヒーマシン製品の発表を伝える投稿を作成したい場合、ChatGPTに「新しいコーヒーマシンの発表を伝えるためのエキサイティングなFacebook投稿を作成してください」と指示します。ChatGPTの回答は、次のようになるかもしれません。

「大変お待たせしました！業界をリードする最新技術を詰め込んだ新しいコーヒーマシンが登場します。あなたのカフェ体験を一新するこのマシンは、最高品質のコーヒーを一杯に詰め込んでいます。今までのコーヒー体験を超える、新たな香りと味わいをお楽しみください。詳細は近日公開。乞うご期待！」

FIGURE 80 要望を伝えれば投稿する文章ができ上る

🔥✨【新コーヒーマシン発表！】✨🔥

みなさん、お待たせしました！私たちの最新のコーヒーマシンがついに登場しました！☕✨
これはあなたがこれまで経験したことのないコーヒーの世界への扉を開きます！

✅ 驚くべきパフォーマンス！
まず、この革新的なコーヒーマシンは、驚くべきパフォーマンスを誇ります。スピーディで効率的な操作で、瞬時にお好みのコーヒーを提供します。ワンタッチで深みのあるエスプレッソ、フローラルなアラビカ、濃厚なカフェラテなど、あらゆるコーヒースタイルが可能です！

✅ 完璧なカスタマイズ！
私たちの新しいコーヒーマシンは、あなたのコーヒー体験を完璧にカスタマイズできるように設計されています。豆の挽き具合、抽出時間、温度設定など、すべてが調整可能です！あなたの個性にぴったりのカップを楽しんでください。

✅ スタイリッシュなデザイン！
この美しいコーヒーマシンは、キッチンやオフィスの一等地におしゃれなアクセントを加えます。洗練されたデザインとモダンなカラーパレットで、目を引く存在になること間違いありません！

✅ シームレスな接続性！
さらに、このコーヒーマシンはスマートな未来に対応しています。Wi-Fi対応で、スマートフォンアプリとのシームレスな接続が可能です。外出先からでもコーヒーを淹れる準備ができます！忙しい朝

ね。

同じ要求でも回答が違う場合も多くあります。

1人でも営業ロールプレイができる

ChatGPTに顧客を演じてもらい、チャット上で営業活動のロールプレイをしてみましょう。

1 ChatGPTを活用した営業ロールプレイの進め方

営業ロールプレイは、実際の顧客対応に備えてシナリオを作成し、対話を模擬的におこなう「営業ロールプレイ」。ChatGPTはこのロールプレイを助ける有用なツールになります。まず、ChatGPTに顧客としての役割を指示します。例えば、「あなたは新規の企業顧客で、私たちの製品についての詳細情報を求めています」といった具体的なシナリオを提示します。ChatGPTはその指示にもとづいて質問を出し、あなたはそれに回答することで営業トークの練習が可能です。

2 ロールプレイのプロンプト例

以下は具体的なプロンプトの例です。

> 営業ロールプレイをしましょう。次の設定を踏まえて何か質問してください。
> 設定：
> ・あなたは製品について興味を持ち、電話をかけてきた小売業者です。
> ・製品は食パン。
> ・回答は私がします。

この指示をもとに、ChatGPTは小売業者としてさまざまな疑問を出してくれます。

これに対し、あなたは自社の製品やサービスについての説明、提案などをおこなうことで、営業ロールプレイの練習をすることができます（図81）。

81 AIを使えば1人で営業力をUPできる

営業ロールプレイに参加しますね。以下は質問です：

1. こんにちは、私は小売業者の担当者です。食パンについて質問があります。この製品に関して、特に他の食品と比べて何か特徴や利点はありますか？
2. 製品の価格について教えていただけますか？小売価格はどのように設定されていますか？また、大量注文をする場合には価格に変動はありますか？
3. 食パンの原材料について詳細を知りたいです。使用される小麦や添加物についての情報はありますか？
4. 配送について教えていただけますか？商品はどのような方法で配送されますか？また、配送料や配送時間に関する情報はありますか？
5. お客様のニーズに応じて、カスタマイズや特別な注文を受け付けることは可能ですか？たとえば、特定の食材アレルギーやダイエット制限に対応できるのでしょうか？
6. 製品に関しての評価やレビューはありますか？他の小売業者や消費者からのフィードバックを教えていただけますか？
7. お取引の条件や支払い方法について教えていただけますか？クレジットカードや銀行振込など、どのような支払いオプションがありますか？
8. 小売業者向けの特典やプロモーションなどのサポートはありますか？販促ツールやマーケティング資材、ンプル品などを提供していただけますか？

以上が質問です。どのような回答があ

設定を入れるだけで
使えます。

外国語の会話力を強化する学習に使える

ChatGPTと外国語でやりとりをすれば、一人で外国語会話の学習ができてしまいます。

1 ChatGPT を活用した外国語学習の方法

ChatGPT は、外国語の学習にとても効果的なツールです。特に会話力を伸ばしたい場合、実際に ChatGPT とその言語でやりとりをおこなうことで、自然な表現やフレーズを身につけることができます。また、文法の疑問点や単語の意味などについても尋ねることができます。AI なので時間を気にすることなく、自分のペースで学習をすすめることができます。

2 外国語学習のプロンプト例

例えば英語学習の場合、「私は観光客としてアメリカに来ています。周囲の人々との会話を練習したいです」といったプロンプトを ChatGPT に与えます。すると ChatGPT は、その設定にもとづいてさまざまな対話を生み出し、実際の会話練習を助けてくれます。

また、「"I've been looking forward to this" とはどういう意味ですか？」のように個別の文章の意味を聞くこともでき、それに対する回答を通じて語彙力を向上させることができます。

また、スマホアプリ版の ChatGPT は、「音声入力」もできるため、実際に発音して外国語会話を練習することもできます。

FIGURE 82 漠然とした問いから会話に入っていける

会話の練習

私は観光客としてアメリカに来ています。周囲の人々との会話を練習したいです。

設定を最初に伝えるとスムーズに会話ができます。

もちろん、それは素晴らしいことです！ ……現を確認しましょう。

1. 挨拶: 早朝は "Good morning"、昼間は "Good afternoon"、夕方以降は "Good evening" と言います。そして、どの時間でも "Hello" や "Hi" と言うこともできます。人と別れるときには "Goodbye" や "Bye" を使います。
2. 自己紹介: "My name is [あなたの名前]. I'm from Japan." （私の名前は[あなたの名前]です。日本から来ました。）
3. お礼: "Thank you" や "Thanks" を使います。とても感謝しているときは "Thank you very much" と言います。
4. 依頼: "Could you please...?" または "Would you mind...?" を使います。
5. 質問: 例えば、道を尋ねる場合、"Excuse me, could you please tell me how to get to...?" （すみません、どうやって...に行くか教えていただけますか？）という形があります。
6. 料理の注文: "I'd like to order..." （...を注文したいのですが）と言います。

これらのフレーズを使って、具体的な状況に合わせた会話の練習をしてみてください。具体的なシチュエーションがあれば、それについてもお教えください。

Column

「AIに仕事を奪われる」は本当か？

ChatGPTの登場以前から、「技術の発展により数年後には仕事がなくなる職業がある」といった説は、まことしやかに語られてきました。非常にセンセーショナルな論ですから、どこかで耳にしたことがある方も多いでしょう。著者としては、仕事をする必要がないほど生産活動が自動化したら、ある種の高等遊民になれるのではないかとも思いますが…。いかんせん、現在のところ働かなければ食い扶持を稼げない社会ですから、やはり「仕事が奪われる」というと「なにを！」と危機感をあおられるのも確かです。

ChatGPTの能力の多くは「テキスト生成」にあります。それを考慮すると、たとえば著者のようなライターと呼ばれるたぐいの職業などは、あっという間に仕事を奪われそうなものです。

米国プリンストン大学でエドワード・フォルテン氏らによりおこなわれた研究によれば、「テレアポ営業」「教師」「裁判官」「カウンセラー」など、20の職業がAIによって影響を受けるだろうといわれています。

この調査が真実か否か、現時点では判断することは難しいでしょう（そもそもリストの大半が『教師』のバリエーションです）。しかし、継続的に発展していくテクノロジーを忌避し、従来のやり方を守るだけなら、いつか淘汰される可能性は低くはないでしょう。

これまでの歴史のなかで、人が筆記具を粘土板からPCやスマホまで進化させてきたのと同じように、AIはあくまで人間の作業をより効率化するためのツールだと著者は思います。使いこなすことで、あなたの能力が何倍にも高まるはずです。

ChatGPTの活用事例

すでに多くの企業や組織、団体がChatGPTを製品、サービス、システムなどに導入しています。この章では、数多くの活用事例からいくつかを抜粋して、概要を紹介します。

言語学習アプリケーションのDuolingoで使われている

英語などの外国語学習アプリケーション「Duolingo（デュオリンゴ）」では、AIチャット機能で外国語会話を学べます。

1 AIとのリアルタイム対話を通じた学習

外国語学習アプリケーションの**Duolingo**は、GPT-4を活用し「Role Play」と「Explain my Answer」という2つの新機能をリリースしました。

ユーザーはAIチャット機能を通じて外国語の会話を学ぶことができます。この機能はリアルタイムで会話が可能で、即時フィードバックが得られるのが特徴です。AIはユーザーのレベルに応じて問題の難易度を調整し、自然な会話フローを保ちながら学習者の理解度を深めます。さらに、ユーザーの間違いを即時に修正し、正しい表現方法を教えることで、言語学習の効率性を高めています。

2 多様なシチュエーションでの対話学習

DuolingoのAIチャット機能は、多様なシチュエーションを提供しています。レストランでの食事の注文、空港でのチケット購入、日常生活での一般的な会話など、ユーザーは幅広いテーマで実践的な会話を学ぶことができます。これにより、単に語彙や文法を覚えるだけでなく、それらを実際の生活シチュエーションに適用する能力も養われます。このような実践的な学習は、ユーザーが新しい言語をより自信を持って使用することを可能にします。

FIGURE 83 人間に代わってAIが語学学習の先生になった

Explain my Answer の画面

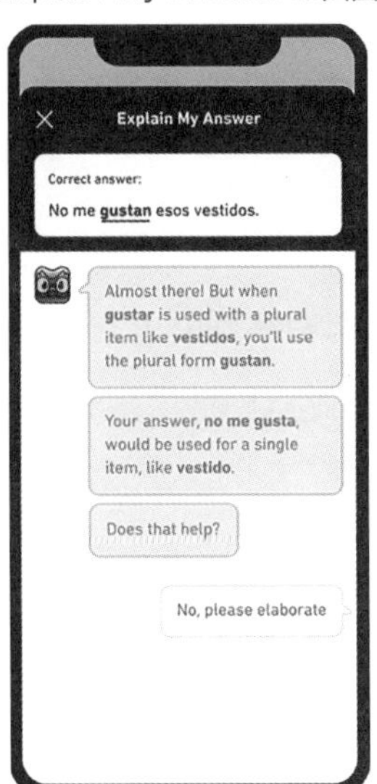

Role Play の画面

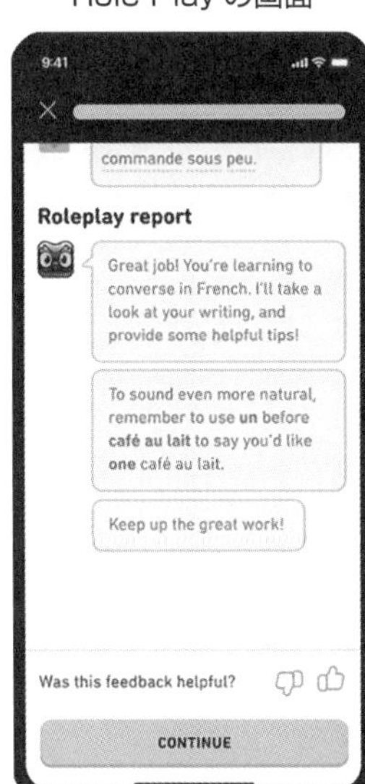

先生とチャット
している感じ！

利用者はDuolingoの「Explain my Answer」や「Role Play」への質問や回答をすることで語学力をUPしています。出題や回答はAPIを経由でつながるGPT-4が利用者のレベルを判断してリアルタイムで対応しています。

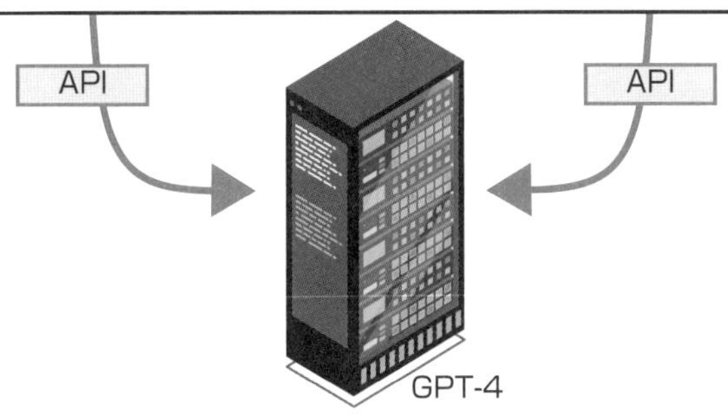

視覚補助アプリケーションのBe My Eyesで使われている

視覚障がい者向けのサービスを展開するBe My Eyes(ビーマイアイズ)は、GPT-4の画像認識機能を使って視覚補助アプリケーションを提供しています。

1 GPT-4の画像認識機能を利用した視覚補助

Be My Eyes はGPT-4の画像認識機能（ChatGPTには未実装）を活用して視覚障がい者の生活を支援しています。ユーザーはBe My Eyesアプリが動作するスマホのカメラを通じて自分の周囲を映し、AIがその画像を解析します。それにより、AIは色の識別、物体の認識、文字の読み上げなどの情報を提供します。

さらに、GPT-4の進化した認識機能により、より詳細な視覚情報の提供が可能となっており、視覚障がい者の自立支援に役立っています。

2 コミュニティとの連携による補助の拡大

さらにBe My Eyesは、AIだけでなく人間の助けも組み合わせたユニークな視覚補助システムを提供しています。

AIが対応できない複雑なシチュエーションや、人間の感覚が必要な場合、アプリケーションはボランティアのコミュニティに接続します。ボランティアはリアルタイムで画像を見ながら、ユーザーに必要な情報を提供します。このような人間とAIの協働により、視覚障がい者への補助はより高度で総合的なものとなっています。

Be My Eyes を使って出発・到着の案内表示を音声で聞いている

写真提供：Be My Eyes

オンライン決済システムのStripeで使われている

オンライン決済システムを提供するStripe（ストライプ）は、システム開発者向けのヘルプ機能にGPT-4を導入しました。

1 GPT-4による開発者向けヘルプ機能の強化

Stripeでは、システム開発者向けのヘルプ機能にGPT-4を導入し、そのサポート体制を強化しています。

GPT-4は開発者からの質問に対して詳細な回答を提供するとともに、必要なコードの例を生成することができます。また、GPT-4は前のバージョンと比べて理解力が向上しているため、より複雑な質問にも対応できるようになりました。これにより、開発者は問題解決に必要な情報をより迅速かつ効率的に得ることができます。

2 オンライン決済システムの開発効率向上への貢献

このAIによるヘルプ機能の導入は、オンライン決済システムの開発効率を大きく向上させています。

開発者は問題に直面した際に、自分自身で解決策を探す時間を大幅に短縮でき、その分開発に専念することが可能となります。また、GPT-4が提供するコード例は、開発者が新たなアイデアを生み出すきっかけにもなっています。これにより、Stripeは革新的なオンライン決済システムの開発をより一層支援しています。

FIGURE 85 Stripe と OpenAI の協業を公開するプレスリリースの一部

一般人でなく開発者のためにAIを使ったヘルプを開発しました。

GPT-4 によるストライプの強化

Stripe は、以前からユーザーの不正管理やコンバ……用して製品やユーザー体験を進化させてきました。昨……OpenAI チームと協力して Stripe Support に GPT-… 実装し、担当者が毎週接する多くのユーザーに対してより迅速に解決方法を特定できるようにしました。

今年1月に GPT-4 ベータ版を導入した後、Stripe はこの AI 技術を活用した業務を合理化し、ユーザーが必要な情報をより迅速に取得できるようにするための様々な方法を特定しました。この取り組みの最初の成果の1つとして、Stripe が開発者用に提供している、GPT を利用したドキュメント「Stripe Docs」があります。

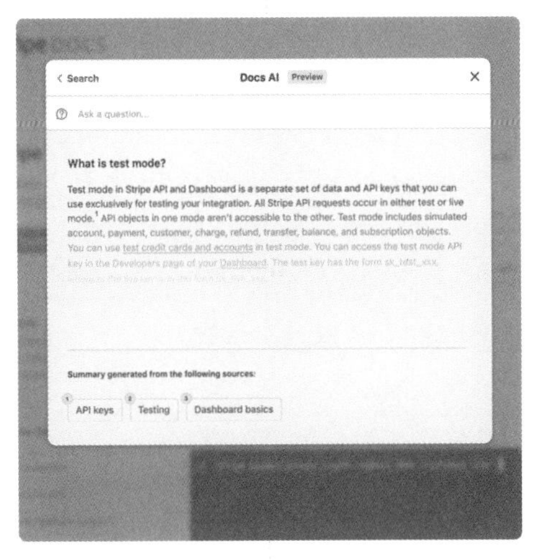

このドキュメント強化により、開発者は Stripe Docs 内で自然言語クエリを GPT-4 に提示できるようになり、GPT-4 はドキュメントの関連部分の要約を作成したり特定の情報の抽出をしたりして回答することが可能になります。これにより、開発者は開発ドキュメントを読むことに使っていた時間を減らし、システム構築に宛てる時間を増やすことができます。

Stripe の応用機械学習のプロダクトリードであるユージン・マン (Eugene Mann) は次のように述べています。「電子メール、スマートフォン、ビデオ会議の登場と同様に、GPT-4 にはビジネスのあり方を、根本から再構築し改善する可能性を秘めています。GPT-4 を統合することで、Stripe は最先端のツールをユーザーに提供し、オンラインでのビジネス構築と成長を支援します。」

2023年3月15日発表

顧客管理システムのSalesforceで使われている

顧客管理システムを提供するSalesforce（セールスフォース）は、GPT-4を導入し、より個人に最適化された顧客管理機能を開発しました。

1 Salesforceの新たなAI機能「Einstein GPT」

Salesforceは、CRM向けの生成AI「**Einstein GPT**」を発表しました。このAIは、Salesforceクラウド全体でパーソナライズされたコンテンツを生成し、従業員の生産性を向上させ、顧客体験を改善します。Einstein GPTは、OpenAIとの統合を通じて、Salesforceの顧客に生成AI機能を提供します。これにより、営業担当者はパーソナライズしたEメールを作成し、カスタマーサービス担当者は顧客の質問への具体的な回答をより迅速に作成することができます。

2 SalesforceとOpenAIの協力

SalesforceはOpenAIのエンタープライズグレードのChatGPT技術を組み合わせることで、AIによって生成された関連性が深く信頼性の高いコンテンツを提供します。この統合により、GPT-4を介して変化する顧客情報と要件にリアルタイムで適応するコンテンツを作れるようになります。また、SalesforceとOpenAIは、新しいChatGPT app for Slackを発表し、会話の要約や調査ツール、文章作成支援などの機能を提供します。

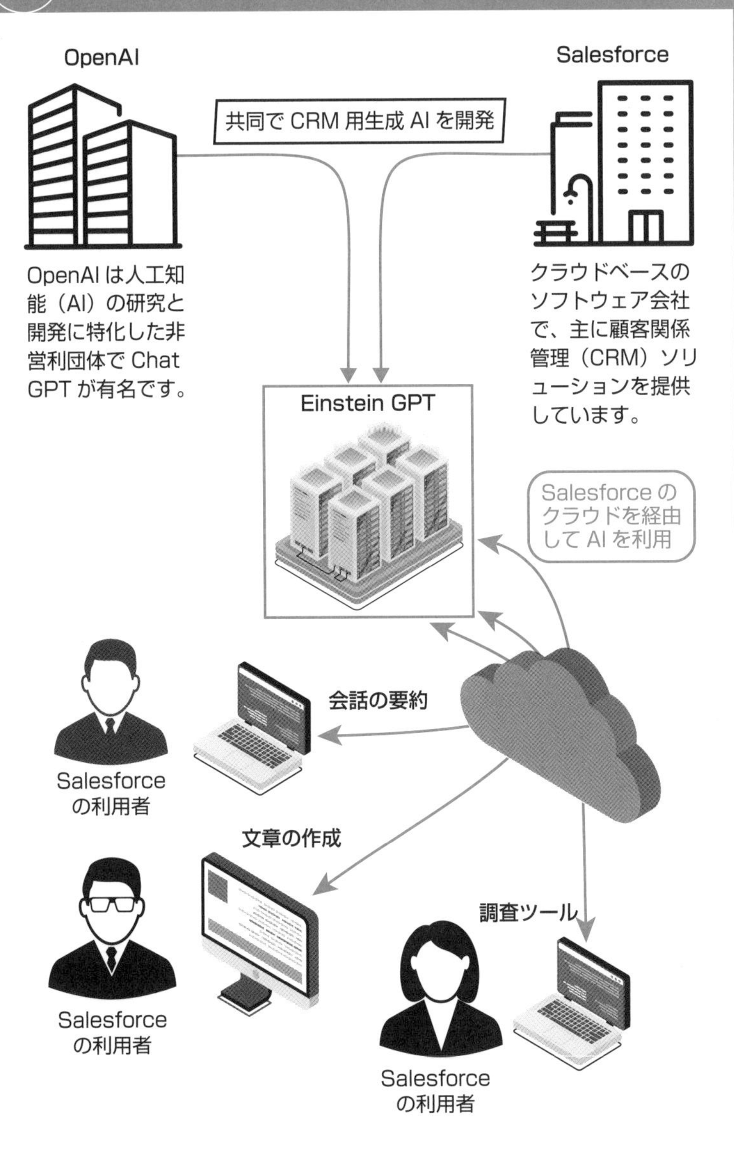
86
Salesforce のクラウドから生成 AI が使えるようになる
OpenAI
Salesforce
共同で CRM 用生成 AI を開発
OpenAI は人工知能（AI）の研究と開発に特化した非営利団体で ChatGPT が有名です。
クラウドベースのソフトウェア会社で、主に顧客関係管理（CRM）ソリューションを提供しています。
Einstein GPT
Salesforce のクラウドを経由して AI を利用
会話の要約
Salesforce の利用者
文章の作成
Salesforce の利用者
調査ツール
Salesforce の利用者

ChatGPTの安易な利用で文学賞を「潰した」？

米有名SF誌が主催する文学賞が、AIを使って作成した作品の大量投稿により選考不可・投稿停止となってしまいました。

1 AI利用作品が投稿に殺到

アメリカの有名SF誌「**Clarks World Magazine**（クラークスワールドマガジン）」は、ChatGPTの登場以来、AIを利用したと思われる作品の投稿数が激増。人間が執筆した作品との選別が困難になったため、一時的に投稿を停止する事態に陥りました。

ChatGPTは非常に優れた能力を持つAIですが、それゆえに世間に与えるインパクトはよくも悪くも大きくなるようです。

2 投稿を再開するもAIは利用禁止に

現在、同誌は投稿を再開。応募要項ページには、AIツール利用に関する禁止事項が追記されています。

●同誌掲載のAI利用に関する禁止声明

原文（英語）

```
Statement on the Use of "AI" writing tools such as
ChatGPT
We will not consider any submissions written,
developed, or assisted by these tools. Attempting
to submit these works may result in being banned
from submitting works in the future.
```

著者による翻訳（日本語）

> “AI” ライティングツール（ChatGPT など）の使用に関する声明
> 本誌は ChatGPT などの AI ツールで書かれた、開発された、または支援された投稿を一切選考しません。AI を利用した作品を投稿しようとすると、作品投稿が永久に禁止される可能性があります。

クラークスワールドマガジンの Web ページ

CLARKESWORLD
ISSUE 201
ISABEL J. KIM · JANA BIANCHI
CARRIE VAUGHN · ANGELA LIU
RAJEEV PRASAD · DAVID EBENBACH
DOMINICA PHETTEPLACE · BELLA HAN

PURCHASE THIS ISSUE:
AMAZON KINDLE
B&N EPUB
KOBO EPUB
WEIGHTLESS EPUB/MOBI
ISSUE 201 - JUNE 2023
FICTION
The Officiant
BY DOMINICA PHETTEPLACE
Vast and Trunkless Legs of Stone
BY CARRIE VAUGHN
Day Ten Thousand
BY ISABEL J. KIM
Imagine: Purple-Haired Girl Shooting Down the Moon
BY ANGELA LIU
The Moon Rabbi
BY DAVID EBENBACH
. . . Your Little Light
To Helen
現在、AI利用の応募は禁止中です。

すでに星新一賞ではAI利用作が入選している

日本の歴史あるSF小説賞「星新一賞」は、AIツールで執筆された作品の投稿も受け付けています。

1 AIと人間の共同作業による創作プロセス

第9回星新一賞において、制作の一部にAI（GPT-2）を利用した作品『あなたはそこにいますか？（著：葦沢かもめ）』が、一般部門の優秀賞を受賞しました。本作は、AIを利用して執筆されてはいますが、完全にAIが書いたままの作品というわけではありません。創作の大本となるテーマを練ったり、生成された文章を精査して修正を指示したりといった作業には、人間の手が入っています。

この例のように、AIと著者がやりとりを繰り返すことで作品が完成します。このように、AIと人間が共同で創作活動をおこなうことで、新たな文学作品が生まれています。

2 AIの活用とその影響

AIの進化は、文学の世界にも大きな影響を及ぼしています。AIが文章を生成する能力は、人間が書くような自然な文章を生成することが可能で、これは「インターネットの登場以来のインパクト」ともいわれています。しかし、AIの利用は新たな問題も引き起こしています。先述のクラークスワールドマガジンのようにAI利用作品の大量投稿による賞の閉鎖や、既存作品の盗用問題などが挙げられます。これらの問題に対する対策が求められる一方で、AIの活用は新たな創作の可能性を広げています。

FIGURE 88 AIを使った作品への評価

AIの利用へさまざまな意見が出ています。

トピックス　審査員紹介　募集について　応募　協賛

一般部門　優秀賞（図書カード賞）

「あなたはそこにいますか？」

葦沢かもめ
東北大学にて生物学を学び、京都大学大学院へ進学。博士（医科学）。現在は民間企業にてデータサイエンティストとして勤務しながら、趣味でAIを使って小説を執筆している。作家としての活動の全てをプログラム化することで、人間の体が無くなった後も作品を発表し続けることが目標。

＜作者コメント＞
この度は星先生の名を冠した賞を頂き、大変光栄に存じます。実は今回、私はAIと一緒に3週間で101篇書いて応募しました。賞を頂いた作品は、本命として主に自分の手で書いたものですが、少しだけAIを使っています。他の100篇は、ほとんどAI任せで書きました。たくさんの物語を同時並行で執筆するのは初めてでしたが、とても楽しかったです。AIと共創することで見えてくる新しい文学をつかめるよう、これからも精進します。

審査員コメント

ヤマザキマリ（漫画家・随筆家）

脅威として描かれるAIものが多いという印象を今回の審査会では受けたが、この作品もまさにそのひとつ。教育や思想を規制することで自我意識に執着せず、国家に統括されやすい民衆を育もうとする国は既に存在するが、そうした社会傾向の揶揄としても読める。

佐野 幸恵（筑波大学 システム情報系 社会工学域 助教）

AIが書く小説の著作権はどこにあるのか、そして作家の創造性とは何なのか、考えさせられる作品でした。「旧式のAI」が書いた文章も味わい深く、さらに最後のどんでん返しも楽しかったです。

ムロツヨシ（俳優）

AIを扱う作品が多い中、個性とまとまりがあるという点を評価させて頂きました。

梶尾 真治（作家）

面白くよみましたが、主人公のネーミングが琴乃葉で、偶然とは思えずそれからの展開に興を削いでしまった気がします。一般読者をとりこめるかといえば、題材的になかなか難しいように感じました。マニア向けになりませんように。

沖 大幹（東京大学 総長特別参与・教授）

すらすらと読ませる良い文章。冒頭の段落や終わり直前の「可能性の枝を切り落とし、生えてきやすい言葉を無視するという決断をするところから、芸術というものは生まれる」はさすがAIならではの文章。

滝 順一（日本経済新聞社 編集委員）

AIが作った小説の校正を樹木の剪定に例えたイメージは新鮮でわかりやすい。「あなたはそこにいますか」というタイトルの意味が最後に明かされる。その幕切れがもっと効果的であれば、なおよかった。

日本の教育現場でも使われるChatGPT

東北大学は全国の大学に先がけてChatGPTを導入し、業務の効率化と高度化を推進しています。

1 ChatGPTの導入とその背景

東北大学は全国の大学に先がけて、ChatGPTを導入しました。これは、大学の「コネクテッドユニバーシティ戦略」の一環で、教育、研究、社会との共創、さらには業務全般のデジタル化を強力に推進する目的でおこなわれました。また、「ChatGPTなどの生成系AI利用に関する留意事項」を学生と教員の双方に向けて作成し、学内でのChatGPT利用のガイドラインを明確に定めています。

2 ChatGPTの具体的な活用方法と今後の展望

東北大学では、システム運営業務や広報業務でChatGPTを活用しています。具体的には、システム運営では、職員がChatGPTと対話しながらRPAのフローを作成し、管理・運用業務を自動化しています。広報業務では、大学が発出したプレスリリースをもとに、ChatGPTを活用してニュース原稿を作成し、AIナレーターが読み上げることで、新たな音声・動画メディアを作成しています。今後は、学内運用・サポート体制を整備しつつ、教育・研究への応用展開も視野に入れています。

89 コネクテッドユニバーシティ戦略として AI を積極的に導入

ChatGPT などの生成系 AI 利用に関する留意事項（学生向けの一部）

Tohoku University Online Class Guide　ホーム　教員向けの情報　学生向けの情報

- AIの出力をレポート等の解答にそのまま利用することは自身の勉強にならない
- 授業によってはAIの利用を禁止しており、場合によっては剽窃とみなされる場合がある
- 調べ学習等で使用する場合も、AIの出力には誤りが混ざっていることも少なくなく、AIの出力が正しい内容か、誤った内容なのか、自身でしっかり確認する必要がある
- 未発表の論文や秘密にすべき情報（個人情報やプライバシー情報等）を生成系AIに入力してしまうと、それらの情報が意図せず流出・漏えいしてしまう可能性がある点に気をつける

授業によっては、生成系AIの使用を禁止したり限定したりする場合があります。生成系AIの使用については、担当教員の指示に従ってください。

RPA フロー	ニュース	音声ファイル	動画ファイル

職員が ChatGPT と対話して RPA のフロー作成し、管理・運営を自動化、プレスリリースをもとに ChatGPT でニュース原稿を作成などシステム運営や広報活動で活用中！

Column

ChatGPT 以外の生成系 AI の特徴

ChatGPTは対話型のテキスト生成AIチャットですが、他にもさまざまな生成系AIが存在します。

・**Bing AI**　Microsoftが提供しているネット検索エンジン「Bing」にAIチャット機能を搭載したモデルです。Bing AIは、OpenAIのGPT-4を利用しているため、テキスト生成の性能は、ほぼChatGPTと同等です。

・**Bard**　Bardは、Googleが提供するAIチャットツールです。OpenAIがChatGPTを発表した直後、GoogleもBardの開発を公開しました。日本版も23年5月10日にリリースされています。Bing AIと同じく、Bardもインターネットを検索して得た情報をもとに回答を生成します。

・**Stable Diffusion**　StabilityAI社が2022年にリリースした、深層学習を用いた画像生成モデルです。「テキストの説明（プロンプト）」にもとづいて、指定した画像を生成することができます。「Dream Studio」というサービスを通じて、ブラウザ上でStable Diffusionの機能を試せます。

・**Midjourney**　同名の研究室「Midjourney, Inc.」が開発している画像生成AIサービスです。Midjourneyは、Stable Diffusionと同様に、自然言語の記述（プロンプト）から画像を生成しています。このツールは、現在オープンベータ版として公開されています。ユーザーは、公式Discordに参加し、botコマンドを使って任意の画像を生成可能です。

プラグインの利用法

ChatGPTは、「有料版（ChatGPT PLUS）」にアップグレードすることで、プラグインやWebブラウジングなどの最新機能を先行して利用することが可能です。本章ではプラグイン機能の使い方やおすすめプラグインを紹介します。

プラグインの導入方法

さまざまな機能を持つプラグインを使うには、まずChatGPTをプラグインが使える状態にする必要があります。

1 ChatGPT PLUS に加入する

プラグイン機能は、23年5月の時点では ChatGPT PLUS（有料版 ChatGPT）にのみ実装されています。プラグインを利用するには、まず ChatGPT PLUS への加入が必須です。ChatGPT PLUS への加入は、無料版 ChatGPT のメニュー画面からプランを選び、支払い情報を入力するだけです。月額 $20（米国ドル）で、ChatGPT PLUS の全ての機能が利用できます。

また、ChatGPT PLUS には、「GPT-3.5の高速化」「GPT-4の限定利用（3時間に25チャットまで）」「ベータ版機能の先行利用」といった特典も含まれています。

2 プラグインを有効化する

ChatGPT PLUS に無事アップグレードできたら、次の手順でプラグインを有効化しましょう。

①メニューから「Settings」を選択
②「Beta features」内の「Plugins」のスイッチを ON にする
③新規チャットを立ち上げ、モードを「GPT-4 Plugins」に
④モード選択ボタン下に現れるドロップダウンリストを選択
⑤「Plugin store」から追加したいプラグインをインストール

⑥再度ドロップダウンリストから、使いたいプラグインにチェックを入れる

⑦プラグインに対応した作業を指示すると自動で適用される

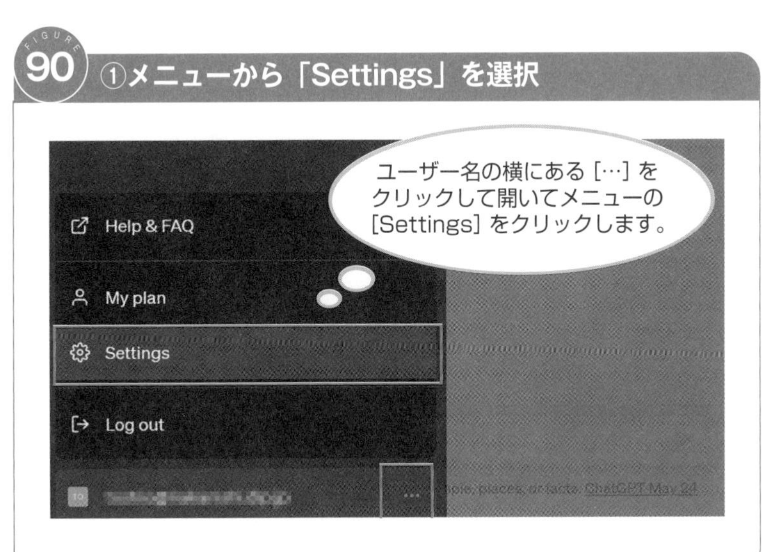
ユーザー名の横にある［…］をクリックして開いてメニューの［Settings］をクリックします。
Help & FAQ
My plan
Settings
Log out

FIGURE 90 ①メニューから「Settings」を選択

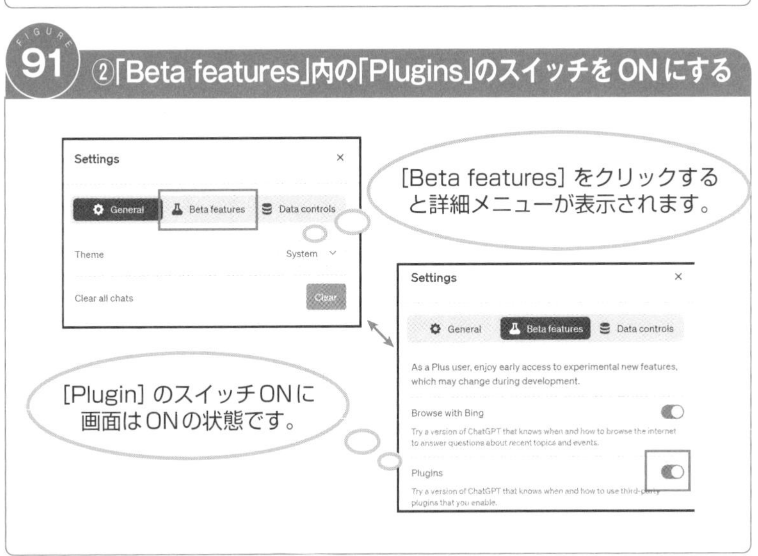
［Beta features］をクリックすると詳細メニューが表示されます。
［Plugin］のスイッチONに画面はONの状態です。
Settings
General
Beta features
Data controls
Theme
System
Clear all chats
Clear
Settings
General
Beta features
Data controls
As a Plus user, enjoy early access to experimental new features, which may change during development.
Browse with Bing
Try a version of ChatGPT that knows when and how to browse the internet to answer questions about recent topics and events.
Plugins
plugins that you enable.

FIGURE 91 ②「Beta features」内の「Plugins」のスイッチをONにする

FIGURE 92 ③新規チャットを立ち上げ、モードを「GPT-4」に

GPT-3.5
GPT-4
Our most capable model, great for tasks that requi… creativity and adv… reasoning.
Available exclusively to
Default
Browse with … Beta
Plugins Beta
Send a message.
[GPT-4] を選択して
開いてメニューの [Plugins Beta]
をクリックします。

FIGURE 93 ④モード選択ボタン下に現れるドロップダウンリストを選択

GPT-3.5
GPT-4
No plugins enabled
Plugin store
GPT-4 currently has a cap of 25 messages every 3 hours.
Send a message.
[No plugins enabled] をクリック
すると下にメニューが表示されるので
[Plugins Beta] をクリックします。

FIGURE 94 ⑤「Plugin store」から追加したいプラグインをインストール

FIGURE 95 ⑥再度ドロップダウンリストから、使いたいプラグインにチェックを入れる

食事のことなら「食べログ(Tabelog)」おすすめプラグイン①

食べログは指定した条件に適した飲食店を教えてくれるプラグインです。

1 プラグインの開発背景と目的

食べログは、2023年5月6日にChatGPT プラグインの提供を開始しました。これは日本初の試みとして多くのメディアで取り上げられています。食べログのChatGPT プラグインは、ChatGPT 上で食べログ掲載上にもとづく店舗の検索が可能です。ユーザーは希望のエリアや料理ジャンル、予約したい日時や人数を指定することで、ネット予約の空席があるお店を探すことができます。また、ChatGPT の検索結果から食べログに移動してネット予約を完了できます。

2 プラグインの使い方

食べログプラグインを使うには、飲食店を探したいエリア、料理のジャンル、価格帯、時間帯、日程、人数などの条件を含めてChatGPT に「この条件に合うお店を探して」と指示するだけでOK です。

●プロンプトの例

明日17時から2人で予約できる新宿の寿司屋を3つ教えてください(結果は右図)。

FIGURE 96 食べログのプラグインを選択する

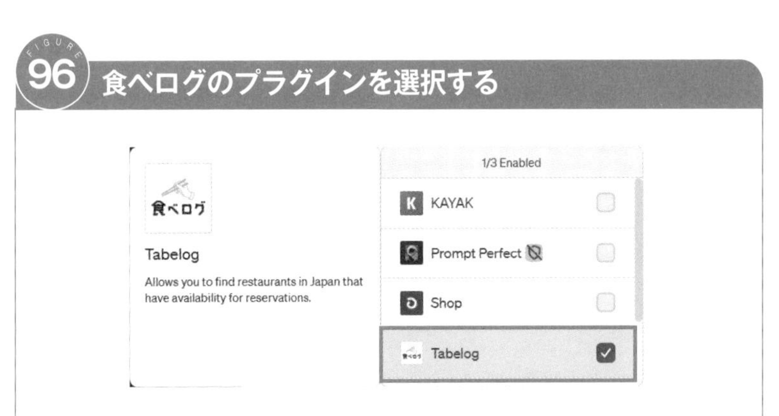

FIGURE 97 食べログのプラグインで飲食店が見付かった

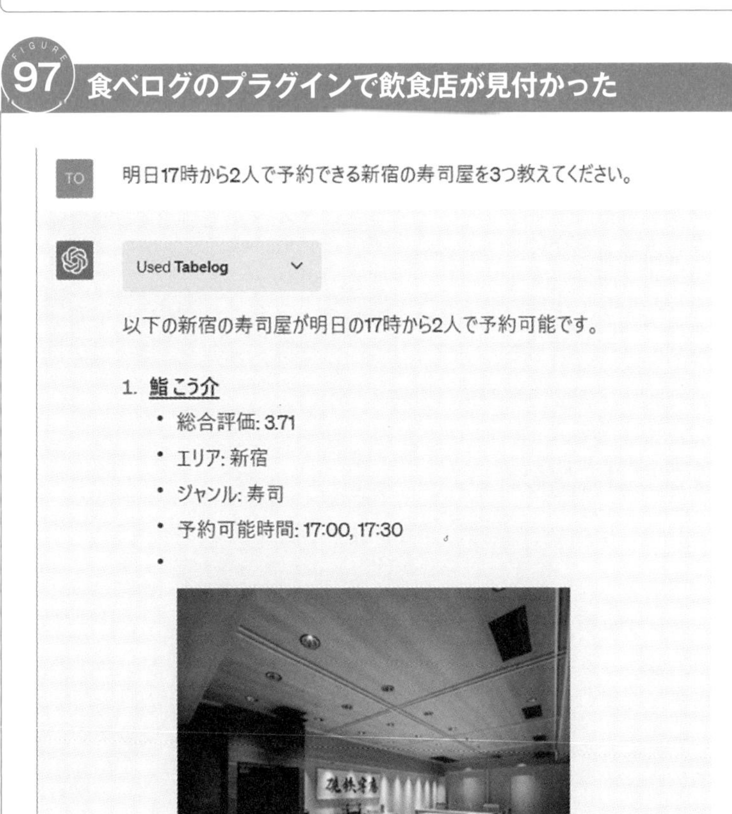

計算とグラフが必要なら「Wolfram」
おすすめプラグイン②

Wolframは通常のChatGPTが苦手な複雑な数学的計算をしたり、回答を図示したりすることができます。

1 Wolfram プラグインの特徴と機能

Wolfram プラグインは、通常の ChatGPT にはない、「難しく複雑な計算」や「グラフ化」をサポートするプラグインです。このプラグインを使用すると、ChatGPT は Wolfram | Alpha と Wolfram Language を通じて強力な計算機能、正確な数学、キュレーションされた知識、リアルタイムデータ、そして視覚化にアクセスできます。

これにより、化学から地理、天文学からポップカルチャー、栄養学からエンジニアリングまで、広範で深いデータを提供します。また、アルゴリズムコードの実行も可能です。

2 プラグインの使い方

Wolfram は計算が必要なさまざまな作業を実行できます。

●プロンプトの例

身長168cm・体重76kg・32歳・男性・活動レベル普通の人が、1日に必要とするタンパク質・脂質・炭水化物の量をグラフにしてください（結果は右図）

FIGURE 98 Wolfram の使用例

まず、基礎代謝率（BMR）を計算し、その後、活動レベルに基づいて総エネルギー消費（TDEE）を計算します。これらの数値を使用して、必要なタンパク質、脂質、炭水化物の量を計算します。

基礎代謝率（BMR）は、以下のハリス・ベネディクト方程式を使用し

Used **Wolfram**

以下のグラフは、身長168cm、体重70

普通の人が1日に必要とするタンパク質

います。

数値をグラフ化してくれるのはありがたいです。

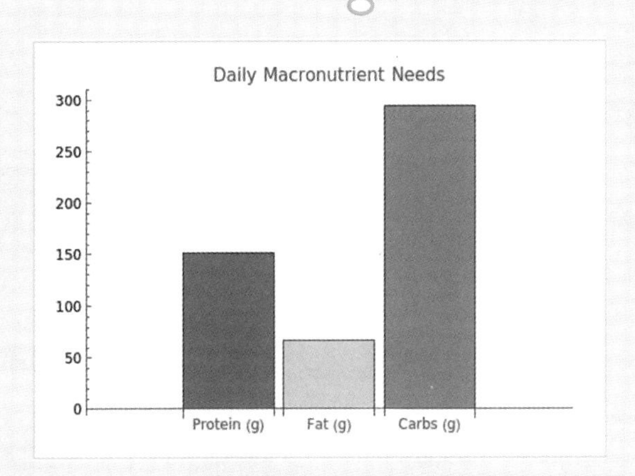

このグラフによると、この人は1日に約152gのタンパク質、約70gの脂質、そして約278gの炭水化物を必要とします。これらの数値はあくまで一般的なガイドラインであり、個々の栄養ニーズは健康状態、運動量、目標などにより異なることをご了承ください。

アプリを連係させる「Zapier」
おすすめプラグイン③

さまざまなWebアプリケーションを連携させたワークフローを構築できるZapierで、プラグイン経由でChatGPTも利用できるようになりました。

1 Zapier と ChatGPT プラグインの連携の強み

Zapier は、5,000以上のアプリケーションと連携可能なワークフロー自動化ツールで、ChatGPT プラグインとの統合により、ChatGPT Plus 内の Zapier アプリケーションのいずれかで検索とアクションを直接実行できます。

例えば、Gmail でメールを送信するアクションを使用して、ChatGPT にメールの下書きと送信を依頼することが可能です。このように、Zapier と ChatGPT プラグインの連携は、ChatGPT 内で直接自動化されたワークフローを作成できるという強みを持っています。

2 Zapier と ChatGPT プラグインの具体的な活用例

Zapier と ChatGPT プラグインの統合は、さまざまなワークフローの自動化に活用できます。例えば、新しいリードをSlack（スラック）のチームと共有したいとき、Chat GPT にメッセージの起草を依頼し、共有チャンネルに送信するよう指示することができます。また、最新のリードからメールを引っ張り出し、適切な返信を生成するよう依頼し、準備ができたら Chat GPT に送信することも可能です。

Zapier を使用した一連の流れ

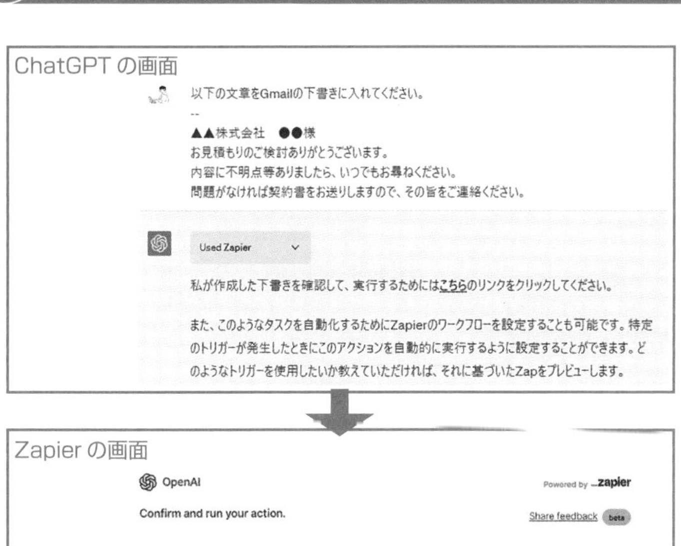

ChatGPT の画面
以下の文章をGmailの下書きに入れてください。
--
▲▲株式会社　●●様
お見積もりのご検討ありがとうございます。
内容に不明点等ありましたら、いつでもお尋ねください。
問題がなければ契約書をお送りしますので、その旨をご連絡ください。
Used Zapier
私が作成した下書きを確認して、実行するためにはこちらのリンクをクリックしてください。
また、このようなタスクを自動化するためにZapierのワークフローを設定することも可能です。特定のトリガーが発生したときにこのアクションを自動的に実行するように設定することができます。どのようなトリガーを使用したいか教えていただければ、それに基づいたZapをプレビューします。

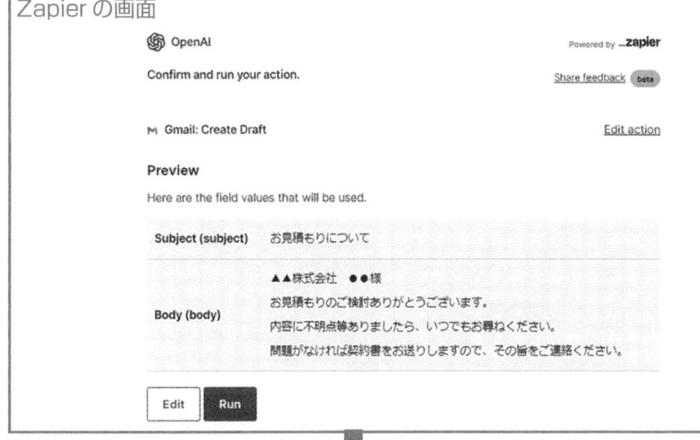

Zapier の画面
OpenAI
Powered by zapier
Confirm and run your action.
Share feedback beta
Gmail: Create Draft
Edit action
Preview
Here are the field values that will be used.
Subject (subject)
お見積もりについて
Body (body)
▲▲株式会社　●●様
お見積もりのご検討ありがとうございます。
内容に不明点等ありましたら、いつでもお尋ねください。
問題がなければ契約書をお送りしますので、その旨をご連絡ください。
Edit
Run

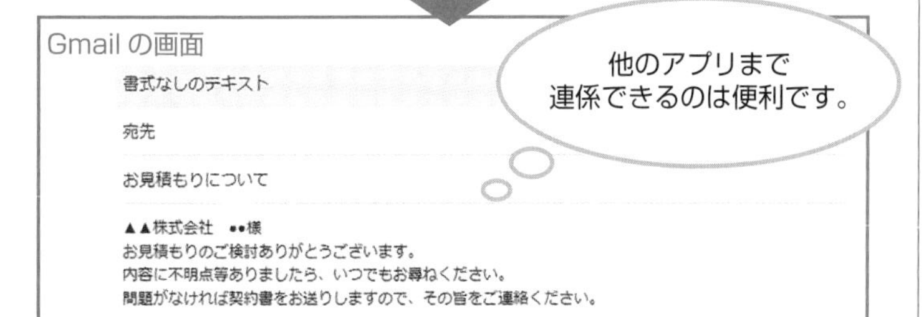

Gmail の画面
書式なしのテキスト
宛先
お見積もりについて
▲▲株式会社　●●様
お見積もりのご検討ありがとうございます。
内容に不明点等ありましたら、いつでもお尋ねください。
問題がなければ契約書をお送りしますので、その旨をご連絡ください。
他のアプリまで
連係できるのは便利です。

動画の内容を知りたいなら「Video Insights」おすすめプラグイン④

Video InsightsはYouTube動画を読み取り、その内容についての質問に回答できるプラグインです。

1 Video Insightsの機能と利用方法

Video Insightsは、YouTubeの動画を解析し、その内容をもとに記事を作成することが可能なプラグインです。

具体的には、YouTubeの特定の動画のURLをプラグインにフィードすることで動作します。例えば、ChatGPTに対して、特定のYouTube動画のURLを解析し、その内容にもとづいた詳細な記事を書くように指示することができます。

プラグインはURLを一つずつ処理し、各動画の内容を書き起こします。その後、その情報をもとに記事を作成します。

2 プラグインの使い方

Video Insightsを使う際は、任意の動画のURLをプロンプトに含めてChatGPTに指示を出します。

●プロンプトの例

```
http://●●●●●.com
この動画の内容をもとに、300字程度の記事にまとめてください。
```

動画の内容を書き起こしてくれた

Windows11ア

Model: Plugins • Enabled plugins:

https://www.youtube.com/watch?v=38JHOxCnLU4
この動画の内容をもとに、300字程度の記事にまとめてください。

Used **Video Insights**

このYouTube動画は、タイトルに「アプリをスタートメニューにピン留めする＞書籍『はじめてのWindows11［第2版］』より」とある通り、Windows11のスタートメニューにアプリをピン留めする方法について説明しています。動画は短く、わずか56秒間で、視聴者に対してこの操作をどのように行うかを示しています。

動画の説明欄には、詳細な情報を提供する書籍『はじめてのWindows11［第2版］』へのリンクが含まれています。この書籍は、Windows11の使い方を初心者にも分かりやすく解説しており、動画はその一部を視覚的に示しています。

ただし、動画のトランスクリプトは「Hear more at aclu.org you」としか表示されておらず、具体的な操作手順の詳細は不明です。そのため、詳細な手順を知りたい場合は、動画を直接視聴するか、提供されている書籍リンクを参照することをお勧めします。

動画を観ないでも内容が分かるのは便利です。

上手に使いたいなら「Prompt Perfect」おすすめプラグイン⑤

Prompt Perfectは、プロンプトに「perfect」と加えるだけで、回答のクオリティを高めてくれるプラグインです。

1 Prompt Perfectの使用方法と改善例

Prompt Perfectは、プロンプトのどこかに「perfect」と書くだけで、ハイクオリティな出力が得られるプラグインです。

例えば、文章の終わりに「(perfect)」と追記する方法があります。ただし、Prompt Perfectは英語でなければ十分に機能しないため、プロンプトは英語にする必要があります。

●プロンプトの例（英語で入力）

```
Write an article about cat's behavior. (perfect)
訳：(猫の生態についての記事を書いて)
```

2 Prompt Perfectの活用例と注意点

Prompt Perfectは、単純な文章作成から複雑なタスク処理まで、どのようなプロンプトに対しても有効です。しかし、Prompt Perfectはプロンプトを改善するものであり、必ず結果がよくなるとは限らないため、もとのプロンプトも試してみることが推奨されています。また、ChatGPT Pluginsは有料のChatGPT Plusユーザー限定の機能であることにも注意が必要です。

FIGURE 101 プロンプト精度を高くする

最後に（perfect）を加えるだけです。

Write an article about cat's behavior. (perfect)

プラグインが動作しました。

Used Prompt Perfect

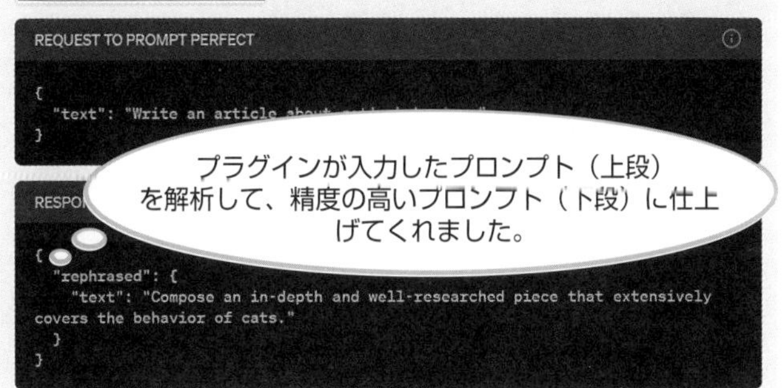

REQUEST TO PROMPT PERFECT
{
"text": "Write an article
}
プラグインが入力したプロンプト（上段）を解析して、精度の高いプロンプト（下段）に仕上げてくれました。
RESPO
{
"rephrased": {
"text": "Compose an in-depth and well-researched piece that extensively covers the behavior of cats."
}
}

Understanding Cat Behavior: An In-depth Exploration

Cats, with their mysterious allure and independent nature, have captivated human fascination for thousands of years. Their behavior, often perceived as enigmatic, is a complex interplay of their predatory heritage, domestication, and individual personality. This article aims to delve into the intricacies of cat behavior, shedding light on what might be going on in your feline friend's mind.

The Solitary Hunter

Unlike dogs, which are pack animals, cats are solitary hunters. This fundamental difference in social structure is a key to understanding cat behavior. Cats are territorial creatures that value their personal space, and their interactions with other cats and humans often revolve around maintaining or negotiating these boundaries.

プロンプトエンジニアリングを知らなくても、プラグインを使って高い精度のプロンプトでChatGPTを利用できました。

プレゼントに迷ったら「Shop」
おすすめプラグイン⑥

Shopはユーザーの指示に合った商品をネットで検索し、複数の候補を提示してくれるプラグインです。

1 Shop プラグインの概要と特徴

Shop プラグインは、ショッピングと商品探索に関連するあらゆる事項に使用できます。ユーザーが探しているものについて明確な質問を最初におこない、その後で検索をおこなうことが最善の使用方法です。単純な文章作成から複雑なタスク処理まで、どのようなプロンプトに対しても有効です。検索結果が空の場合、製品を作り出したり、製品情報や配送 / 返品情報について詳細を作り出すことはありません。製品について詳しくしりたい場合は、製品ページにユーザーを誘導します。

2 Shop プラグインの主な機能

Shop プラグインには主に2つの機能があります。1つ目は「search」で、これは商品を検索するための機能です。2つ目は「details」で、これは一連の商品について詳細を返す機能です。これらの機能を利用することで、ユーザーは自分が探している商品を効率よく見つけることができます。

●プロンプトの例

> 20代の男性に誕生日プレゼントをあげるとしたらどんなものがよいでしょうか？予算は5000円くらいで、インテリアがよいと考えています。ほかのカテゴリでもよいものがあれば提案してください。

FIGURE 102 プレゼントのリストを作ってくれた

Used **Shop**

以下にあなたの予算内で見つけたいくつかの商品をご紹介します。

1. CYREX REPLACEMENT LED LIGHT BULBS FOR INTERIOR/EXTERIOR - これはインテリア/エクステリア用のLEDライトバルブの交換品です。価格は9.88ドル（約1,100円）です。
2. Silicone Ring For Men- Breathable Comfort Fit Beveled Design - これは男性用のシリコンリングで、通気性が良く快適なフィット感があります。価格は11.99ドル（約1,300円）です。
3. グラフィック インテリアブック - これはグラフィックデザインに焦点を当てたインテリアの本で、価格は3,010円です。

これらの商品はすべてあなたの予算内に収まるもので、男性の20代に適していると思います。どれもインテリアに関連しているか、または男性が喜びそうなアイテムです。どれかが気に入ったら、リンクをクリックして詳細をご覧ください。

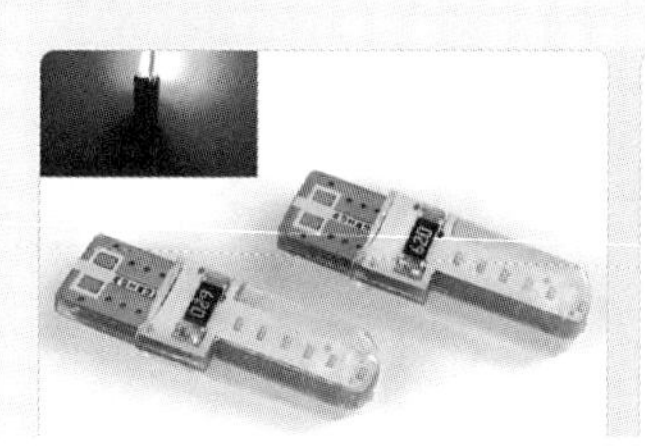

CHAPTER 6 プラグインの利用法

文字から音声にするなら「Speechki」おすすめプラグイン⑦

Speechkiはユーザーが入力した文章を読み上げ音声データに自動で変換してくれるプラグインです。

1 Speechki プラグインの可能性

Speechki プラグインは、パーソナルプロジェクトから商業プロジェクトまで、無限の可能性を提供します。

生成した音声はダウンロードもできるので、ポッドキャスト、リール、インタビュー、オーディオブック、要約、オーディオストーリーなど、あらゆる形式のコンテンツを作成することができます。

AI 生成のボイスオーバーを使用して、スクリプトやトランスクリプトを魅力的でプロフェッショナルなポッドキャストに変換したり、リールやショートに高品質の AI 生成ボイスオーバーを追加したりできます。

2 プラグインの使い方

まず、ChatGPT を使用してテキストを生成するか、既存のテキストを使用します。次に、Speechki プラグインを使用して、指定したテキストをオーディオに変換するよう ChatGPT に指示します。後述の「Web pilot」プラグインと併用することで、任意の Web ページを音声化することも可能です。

●プロンプトの例（Web pilot使用）

```
https:// ●●●●● .html
この文章を音声ファイルに変換してください。
```

FIGURE 103 テキストを指定する

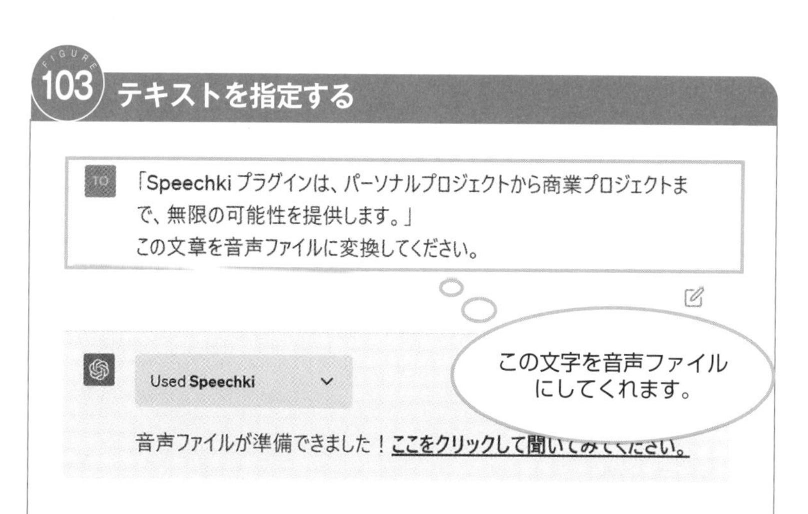

「Speechkiプラグインは、パーソナルプロジェクトから商業プロジェクトまで、無限の可能性を提供します。」
この文章を音声ファイルに変換してください。
Used Speechki
この文字を音声ファイルにしてくれます。
音声ファイルが準備できました！ここをクリックして聞いてみてください。

FIGURE 104 音声データのページに移動した

旅行に行くなら「KAYAK」おすすめプラグイン⑧

KAYAKはユーザーが入力した条件に合う旅行プランを立ててくれるプラグインです。

1 KAYAKプラグインの機能と利用方法

KAYAKプラグインは、航空券、ホテル、レンタカーの検索や、予算内で訪れることができる旅行先の提案、最安値の航空券を見つけるためのフライトインサイトなど、旅行計画に必要な情報を一括で提供します。ユーザーは出発地、目的地、日付などを指定して検索をおこなうことができます。

●プロンプトの例

東京からニューヨークへの直行便を探してください。
出発は7月1日、帰国は7月15日です。

※結果は右図

2 KAYAKプラグインの利用体験とフィードバック

KAYAKプラグインを使用すると、簡単に旅行の計画が立てられるようになります。プラグインは具体的なフライト情報を提供し、それに対するリンクを提供します。ただし、表示されるフライトの価格は変動するため、表示された価格と実際の価格が一致しない場合があるので、注意が必要です。これはフライト情報が頻繁に変わるためで、許容範囲内と考えられます。

FIGURE 105 希望通りのフライトが見付かった

TO 東京からニューヨークへの直行便を探してください。
出発は7月1日、帰国は7月15日です。

飛行機以外の問い合わせにも対応します。

T Used KAYAK

東京からニューヨークへの直行便を2023年7月1日から2023年7月15日までの間で検索しました。以下にいくつかのフライトオプションを示します：

1. ANA: 成田(NRT)からニューアーク(EWR)へ、7月1日 5:00pm出発、7月1日 4:40pm到着。帰りはニューアーク(EWR)から羽田(HND)へ、7月15日 10:35am出発、7月16日 1:35pm到着。価格は$2,227です。
2. ANA: 羽田(HND)からニューアーク(EWR)へ、7月1日 5:15pm出発、7月1日 5:10pm到着。帰りはニューアーク(EWR)から羽田(HND)へ、7月15日 10:35am出発、7月16日 1:35pm到着。価格は$2,236です。
3. 日本航空: 羽田(HND)からJFKへ、7月1日 6:35pm出発、7月1日 6:35pm到着。帰りはJFKから羽田(HND)へ、7月15日 1:40am出発、7月16日 4:45am到着。価格は$2,164です。
4. ユナイテッド航空: 成田(NRT)からニューアーク(EWR)へ、7月1日 5:00pm出発、7月1日 4:40pm到着。帰りはニューアーク(EWR)から成田(NRT)へ、7月15日 11:50am出発、7月16日 2:30pm到着。価格は$2,394です。

これらは一部のフライトオプションで、他にも多くのフライトがあります。詳細は[こちら](https://www.kayak.com/flights/TYO-NYC/2023-07-01/東京からニューヨークへの直行便を2023年7月1日から2023年7月15日までの間で検索しました。以下にいくつかのフライトオプションを示し

Webの要約には「Webpilot」
おすすめプラグイン⑨

WebPilotはURLを指定すると、ChatGPTがそのWebページについての質問に回答できるようになるプラグインです。

1 WebPilotプラグインの主要な機能と使用例

WebPilotプラグインは、AIがウェブサイトを訪れて情報を取得するためのツールです。ユーザーがURLを提供すると、WebPilotは、Webページのコンテンツを取得し、おもにテキスト情報を読み取って、指示された作業に反映します。例えば、「このURLの記事の要約を作ってください。」という質問に対して、WebPilotはページを訪れ、その内容を要約します。また、「このURLから特定の情報（例えば、製品の価格や詳細）を抽出してください。」という質問に対して、WebPilotは指定された情報を見つけ出し、それを提供します。

2 プラグインの使い方

情報源にしたいURLをプロンプトに含め、作業を指示してください。

●プロンプトの例

```
https://ja.wikipedia.org/wiki/%E4%BA%BA%E5%B7%A5%E7
%9F%A5%E8%83%BD
このページの内容を踏まえ、300字程度の記事を書いてください。
```

FIGURE 106 このWebページは情報が多く読み切れないと思ったら

FIGURE 107 Webの内容を300字に要約してくれた

Used **WebPilot**
人工知能（AI）は、計算機科学の一分野であり、知能を研究するための計算とコンピュータを使用します。AIは、言語の理解、推論、問題解決などの知的行動を人間に代わってコンピューターに行わせる技術であり、計算機による知的な情報処理システムの設計や実現に関する研究分野でもあります。AIは、自然言語処理、画像認識、専門家システムなどの多岐にわたる応用があります。2012年以降、ディープラーニングの有用性が認知され、AI研究が急速に活発化しました。しかし、AIの将来的な危険性については、ビル・ゲイツ、イーロン・マスク、スティーブン・ホーキングなどの専門家や著名人から指摘があります。AIは、医療、農業、脳科学研究などの分野での応用が進んでおり、日常生活にも浸透してきています。しかし、その一方で、AIによる人類絶滅の危険性を懸念する声も存在します。

写真を引き立てるなら「Polarr」
おすすめプラグイン⑩

Polarrは、無料のフォトエディター「Polarr」で使えるフィルターを検索できるプラグインです。

1 Polarrプラグインの特徴と利用方法

Polarrプラグインは、写真やビデオを編集するためのフィルターを検索するためのツールです。

基本的な調整、美的なカラーグレーディング、顔のリタッチなど、幅広いフィルターが含まれています。ユーザーが写真/ビデオ編集に関する質問やリクエストをすると、そのリクエストを短いフィルターの説明に言い換え、一致したフィルターのテキスト説明とプレビューリンクが返されます。

2 Polarrプラグインの主な機能

Polarrプラグインの主な機能は、ChatGPTプラグインのフィルター検索を実行することです。これにより、ユーザーは自分の写真やビデオに最適なフィルターを見つけることができます。また、Polarrの大規模なフィルタープールを活用することで、ユーザーは自分のニーズに合った多様なフィルターを探すことが可能です。

これにより、写真やビデオの編集がより簡単で効率的になります。

写真をブラッシュアップする方法をイメージ付きで提案された

画像の空をきれいなブルーにしたい

Used **Polarr**

以下のフィルターを使用して、画像の空をきれいなブルーにすることができます：

1. フィルター1：空の青色のトーンを強調します。
2. フィルター2：空の色とトーンを模倣するフィルターです。
3. フィルター3：空色、軽快、または蒼色のトーンのフィルターです。

これらのリンクをクリックすると、フィルターのプレビューを見ることができます。適切なフィルターを選んで、画像の空をきれいなブルーにしてみてください。

Sky more color
polarr.com

polarr

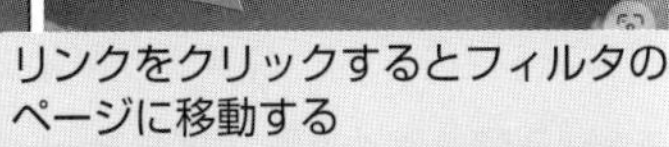

リンクをクリックするとフィルタのページに移動する

Sky more color

おわりに

まずは本書を手にとってくださった皆さま、ありがとうございます。本書が皆さまのChatGPTの理解と利用を少しでも助け、今後のAIツール活用の最初の一歩となれば大変光栄です。

このあとがきを書いている時点でChatGPTがリリースされてから約半年が経とうとしています。この間、AI界隈ではさまざまなニュースがありました。私はもともとAIの研究者や界隈のウォッチャーではなく、「ChatGPTとかいうAIが今キテるらしい」という情報を初めて耳にしたのも2023年の2月ごろと、日本国内でも情報がだいぶ広まってきてからのことでした。

正直なところ、ChatGPTを知った当初はさほど期待していなかったことを覚えています。これまでもさまざまな形で「文章を書けるAI」は登場してきており、その度に一瞬ネタにされては消えていくということを繰り返していたので、今回もそのたぐいのものだろうと思っていたのです。実際、ChatGPTもリリース当初は「こんな変な回答をした！」とこれまでの自動文章生成ツールのように「遊ばれて」いるのをよく目にしました。

しかし、さまざまな情報を集めるうちに、どうやらただの怪文書メーカーではないらしいということが分かったのです。一番のきっかけはnote株式会社が主催した『あなたの仕事が劇的に変わる!? ChatGPT使いこなし最前線』というウェビナーを見たことでした。

YouTubeのアーカイブが配信されているので、興味がある方は見てみてください。GPT-4が開発される以前のウェビナーではありますが、ChatGPTをはじめとするAI利用の基本となるノウハウが解説されており、現在でも参考になる内容かと思います。

2023年6月吉日　イワタヨウスケ

用語解説

あ行

●アウトスキリング

人員整理の対象者や、今後その対象となる可能性が高い従業員に、企業がデジタル分野などの成長産業への就職に役に立つスキルや能力のトレーニングを提供して、新しいキャリアの形成を支援すること。

●アップスキリング

変化し続ける高度なテクノロジーに対応して、新しいスキルや能力を身に着けることで、現在の業務や職業をより効果的にこなし、継続的に学習する状態を作り出すこと。アップスキリングと並んで使われる言葉であるリスキリングは、新しい業務や職業に就くために、新しいスキルや能力を身に着けて実践することを指す。

●エキスパートシステム

特定の専門分野の知識をもち、専門家のように事象の推論や判断ができるようにしたコンピューターシステムのこと。推論エンジンと知識ベースの2つで構成されており、専門的な知識を含む、規則、事実などを収集した知識ベースをもとに、推論エンジンが推論して結論を導き出す。エキスパートシステムを使うことで、専門知識のない人であっても専門家と同等の問題解決・判断が可能になる。

●オプトアウト

ユーザーが情報を受け取る際や自らに関する情報が利用される際などに、それを許諾しない意思を示す行為。反対に、許諾の意思を示す行為をオプトインという。広告メールの送信や、インターネット上での個人の情報の取得や利用などを、ユーザーの意思に基づいて行う仕組みや方式を指す語として用いられる。

か行

●機械学習

データを分析する方法の1つで、機械（コンピューター）が自動でデータから学習し、データの背景にあるルールやパターンを発見する方法。機械学習の類義語にAI（人工知能）や深層学習（ディープラーニング）があるが、AIを実現するためのデータ分析技術の1つが機械学習で、機械学習における代表的な分析手法がディープラーニングである。

●行動心理学

米国の臨床心理学者であるジョン・ブレイザー博士が提唱した学問分野で、人間の行動や仕草のパターンから心理を分析・研究していく。具体的には、しぐさや声のトーン、表情などから、人間の心理を分析する。

さ行

●自然言語処理

自然言語（私たち人間が普段から自然に使っている言語で、日本語や英語も自然言語に含まれる）をコンピューターで分析して、言語の意味を抽出したり、解釈したりする技術のこと。形態素（意味を持つ表現要素の最小単位）の解析、文章構造の解析、文章の意味の分析、文脈を理解した上での情報抽出で進められ、AIチャットボット、音声認識AI、AIスピーカー、検索エンジン、自動翻訳などのシーンで活用されている。

●ソースコード

プログラミング言語で書かれた、コンピュータプログラムを表現する文字列（テキストまたはテキストファイル）。オープンソースとは、無償で公開されたソースコードで、自由に利用や、改変、再配布ができるという特徴がある。一方で、プログラムのソースコードを非公開として、改変・複製・再配布などを制限したものをクローズドソースと呼ぶ。

た行

●ディープラーニング

データの背景にあるルールやパターンを学習するために、多層的（ディープ）に構造で考える方法。一般的なデータ分析は、入力データと出力データの関係を直接分析するが、ディープラーニングは、中間層と呼ばれる構造を設けて、多層化することで、情報の複雑さに対応できるようになり、データの分析精度が向上する。ディープラーニングは機械学習の中の1つの手法であり、画像認識、音声認識、自然言語処理、異常検知などに広く活用されている。

は行

●ビッグデータ

一般的なデータ管理や処理ソフトウェアで扱うことが困難なほど巨大で複雑なデータの集合を表す用語。多くの場合、ビッグデータとは単に量が多いだけでなく、様々な種類・形式が含まれる非構造化データであり、さらに、日々膨大に生成・記録される時系列性・リアルタイム性のあるようなものを指すことが多い。

●翻案権

著作物を翻訳し、編曲し、もしくは変形し、または脚色し、映画化し、その他翻案する権利。著作権の1つで、日本では著作権法27条に定められている。既存の著作物を修正、増減、変更するなどして、新たな思想または感情の創作的表現を加えて、別の著作物を創作した場合かつ、創作した著作物が既存の著作物の表現上の本質的な特徴を直接感得することができる場合に翻案とみなされる。

英数字

●AIりんな

日本マイクロソフトが開発した会話ボットの1つで、現在はAIキャラクターの開発企業であるrinna（日本マイクロソフトのチャットボットAI事業から2020年6月に独立）が管理を行う。AIと人だけではなく、人と人とのコミュニケーションをつなぐ存在を目指しており、会話の相手（ユーザー）の発言内容を踏まえて、より具体的で内容のある雑談を返答するコンテンツチャットモデル（Contents Chat Model）を採用している。

●Common Crawl

独自にインターネット上のウェブサイトをクロールして収集し、そのアーカイブとデータセットを無償で提供している非営利団体。データセットには、著作権で保護された作品が含まれており、それらはフェアユースに基づいた上で米国から提供されている。また、ChatGPTの学習データにも、Common Crawlが収集したデータが含まれている。

●GAN

Generative Adversarial Network（敵対的生成ネットワーク）の略で、ディープラーニング（深層学習）を活用したAI技術の1つ。実在しないデータの生成、学習したデータの特徴に沿った変換、元データの特徴を含む新しいデータの生成などが可能。GANのネットワーク構造は、Generator（生成ネットワーク）とDicoriminator（識別ネットワーク）の2つのネットワークから構成されており、互いに競い合わせることで精度を高めていく。

●GitHub

世界中の人々が自分の作品（プログラムコードやデザインデータなど）を保存・公開できるようにしたソースコード管理サービス。GitHubは、米国のサンフランシスコに拠点を置くGitHub社によって運営されており、個人・企業問わず無料で利用が可能。利用者は、自分のプログラムのソースコードを他のエンジニアに共有したり、共同作業を行ったりすることが可能で、特にオープンソースソフトウェアの開発プロジェクトでは広く使用されている。

●Google Colaboratory

Googleの研究開発部門であるGoogle AIがクラウドで提供する機械学習・AIアプリ開発環境。Jupyter Notebook（Pythonなどをウェブブラウザ上で記述・実行できる統合開発環境）を必要最低限の労力とコストで利用でき、ブラウザとインターネットがあればすぐに機械学習のプロジェクトを進めることができる。

●GPT-3

2020年7月にOpenAIが発表した高性能な言語モデル。Wikipedia やCommon Crawlなどから集めた45TBもの膨大なテキストデータに対して、いくつかの前処理を行った570GBのデータセットを学習に用いている。GPT-3は、文章の生成、文章の要約、質問への回答、翻訳などに活用することができる。また、OpenAIは、2022年3月にテキストに加えて画像の入力にも対応するマルチモーダルな基盤モデルのGPT-4を発表している。

●LAION

大規模な機械学習モデルやデータセット、それに関連するコードを一般公開することを目的とした非営利団体。LAION（Large-scale Artificial Intelligence Open Network）が提供するLAION-5Bは、インターネット上から収集された約58億枚のカラー画像のデータとタグ付けに利用できるテキスト処理が施されたデータセットで、Stable DiffusionのAIの学習にも利用されている。

●OpenAI

人類全体に利益をもたらす形で友好的なAIを普及・発展させることを目標に掲げるAI研究所。2015年にサム・アルトマン氏やイーロン・マスク氏らによって設立され、画像生成AIのDALL・E 2や言語モデルのGPTシリーズを発表している。2019年にはMicrosoftから10億ドルの投資を受けており、同社はOpenAIのAIを自社プロダクトに活用している。

● Stability AI

エマード・モスターク氏によって2020年に設立されたAI開発企業で、オープンソースな画像生成AIであるStable Diffusionを開発。同社は、世界初のコミュニティ主導のオープンソースAI企業であると主張しており、「AI by the people, for the people」(人民による、人民のためのAI)というAIの民主化を理念に掲げている。

索引

●や行

●ら行

●わ行

●英語

●著者紹介

イワタ ヨウスケ

1991年12月1日、福島県本宮生まれ。小学校入学と同時に長野県へ引っ越す。長野県屋代高校卒業、東北大学文学部人文社会科学科インド学仏教史研究室卒業（学士）。
学習塾、Webサイト制作会社、出版社などでライターとして業務に携わる。
フリーライターとしても活動中。ChatGPTの登場から生成系AIに興味を持つ。

●用語集作成

田中 秀弥（たなか ひでや）

図解ポケット
ChatGPTがよくわかる本

発行日　2023年 7月 9日　　第1版第1刷

著　者　イワタ　ヨウスケ

発行者　斉藤　和邦
発行所　株式会社　秀和システム
〒135-0016
東京都江東区東陽2-4-2　新宮ビル2F
Tel 03-6264-3105（販売）Fax 03-6264-3094
印刷所　三松堂印刷株式会社　Printed in Japan

ISBN978-4-7980-6992-0 C0055